Tra bo Dai

Hoffwn ddiolch i aelwydydd Cymru a'r byd am fy nerbyn mor gynnes ar eu haelwydydd dros yr hanner canrif diwethaf.

Tra bo Dai

DAI JONES

LLANILAR

gyda Lyn Ebenezer

y Lolfa

Argraffiad cyntaf: 2016
Ail argraffiad: 2017

Dymuna'r cyhoeddwyr gydnabod cymorth ariannol
Cyngor Llyfrau Cymru

Llun y clawr: Iestyn Hughes
Cynllun y clawr: Y Lolfa

Rhif Llyfr Rhyngwladol: 978 1 78461 337 2

Cyhoeddwyd, rhwymwyd ac argraffwyd yng Nghymru gan
Y Lolfa Cyf., Talybont, Ceredigion SY24 5HE
gwefan www.ylolfa.com
e-bost ylolfa@ylolfa.com
ffôn 01970 832 304
ffacs 832 782

Cynnwys

Rhagair

I BLE'R AETH yr ugain mlynedd, dwedwch, ers cyhoeddi'r gyfrol gyntaf, *Fi Dai Sy' 'Ma*? Sylw cyntaf y diweddar Geraint Rees yn y rhagair i honno yw "Dyn diwyd yw Dai." Yn bendant, mae'r diwydrwydd yn parhau, os nad yw wedi dyblu, a'i boblogrwydd yr un ag erioed. Does dim gwahaniaeth ble welwch chi Dai: gartre ym Merthlwyd, ar y ffordd i weld ei ddiadell, ar faes y Sioe Fawr neu ar raglenni *Cefn Gwlad*, yr un un yw Dai. Mae hefyd yn ei afiaith wrth gyflwyno'r rhaglen fytholwyrdd ar nos Sul, *Ar Eich Cais*, ac mae ei ddilynwyr selog yn edrych ymlaen at yr arlwy wythnosol. Er ei brysurdeb, mae ganddo amser i bawb, mae'n ffrind da a'r llaw gymwynasgar yno ar awr angen.

O ganlyniad i'w wasanaeth, derbyniodd nifer o anrhydeddau gwir deilwng. Yn eu plith mae'r MBE; Tlws Coffa Syr Bryner Jones a roddir gan y Sioe Frenhinol am gyfraniad nodedig i amaethyddiaeth; anrhydedd gan Brifysgol Aberystwyth a gwobr BAFTA ymysg nifer o rai eraill. Er hyn i gyd, mae ei draed yn solet ar ddaear Ceredigion.

Pan oeddwn yn brifathrawes yn Ysgol Llanilar byddai Dai'n dod i arwain y cyngerdd Dolig ac i feirniadu yn yr Eisteddfod Gŵyl Ddewi. Roedd fel petai ganddo fagned ar ei gefn a'r plant yn tynnu ato fel gwenyn at bot mêl.

Mae wedi dyfynnu llawer ar arwyddair Ysgol Llanilar ar wahanol raglenni: "Gwell gwneud eich gorau na bod yn orau", ac mae wedi gwireddu'r neges honno ar hyd ei fywyd.

Ym mis Hydref, dathlodd ef ac Olwen eu Priodas Aur. Dymunwn iddynt flynyddoedd eto a'r iechyd i'w mwynhau. O FRENIN, BYDD FYW BYTH!

Beti Griffiths

1

Pa newydd sydd?

FE AETH UGAIN mlynedd heibio ers cyhoeddi fy hunangofiant *Fi Dai Sy' 'Ma*, ac mae llawer o ddŵr afon Ystwyth wedi llifo i Fae Ceredigion yn ystod y cyfnod hwnnw. Cyfnod digon hapus fu'r cyfnod ar y cyfan. Yn wir, un o'r ychydig newidiadau, er gwaeth, yw fy mod i ugain mlynedd yn hŷn, ac o'r herwydd, yn teimlo effaith y blynyddoedd hynny.

Cofiwch, dyw bywyd fel y cyfryw ddim wedi newid gymaint â hynny o ran gorchwylion a gwaith. Yn gyffredinol mae e fel y buodd e cynt. Ond o fewn y darlun mawr fe fu yna newidiadau amlwg. Fe welwyd wynebau newydd a gweithgareddau newydd wrth i fywyd symud yn anochel yn ei flaen, ac fe gollwyd rhai eraill, amryw ohonynt am byth. Ond rhywbeth yn debyg yw'r byd yn ei gyfanrwydd. Wel, fy myd i, o leiaf.

Yma, ar gyrion Dyffryn Ystwyth, yr un yw'r sefyllfa yn Llanilar ar ffarm Berthlwyd ond bod John, y mab, wedi dod i gario'r dyletswyddau trymaf erbyn hyn gyda help ei bartner, a chymorth Olwen, wrth gwrs. Ac rwyf inne yma'n rhyw gadw llygad ar bethe. Rhyw fath ar *gentleman farmer*. Fe ddywedodd rhywun rywbryd nad yw *gentleman farmer* yn codi dim byd ar ei dir ond ei gap. Dwi ddim yn codi hwnnw, ond rwy'n dal i godi gwartheg, defaid ac erbyn hyn gobiau hefyd.

Y peth mwyaf i ddigwydd o ran y teulu yw bod Olwen a finne wedi dod yn ddad-cu a mam-gu, neu'n daid a nain. Oes, mae yna olyniaeth. Ac i ni bobol y tir mae olyniaeth yn bwysig. Mae ganddon ni ddwy wyres – y naill yn ddeunaw oed ac eisoes yn gyrru car, a'r llall yn rhyw bedair a hanner. Mae hithau'n gyrru hefyd – yn ein gyrru ni o'n cof gyda'i direidi a'i drygioni diniwed. Mae'r wyres hynaf, Celine, yn byw yn Llanddewibrefi ac mae hi wedi cychwyn ar astudiaethau coleg, a'i bryd ar fod yn athrawes feithrin. Mae Ella fach adre fan hyn. Ie, cael wyresau fu un o bleserau mawr yr ugain mlynedd diwethaf. Mae hi'n braf cael y ddwy o gwmpas y lle. Fe ddywedodd yr actor comedi W. C. Fields na ddylai neb weithio gyda phlant ac anifeiliaid. Wel, rwy wrth fy modd gyda'r ddau – plant ac anifeiliaid. Ac eithrio cathod. Ac mae'r wyresau wedi newid bywyd rhywun yn llwyr. Peth rhyfedd yw cael plentyn mor ifanc ag Ella yn gofyn cwestiynau i chi. Fe fydd hi'n holi a chroesholi fel twrne bob cyfle.

Mae plant eisie gwybod popeth. Mae hynny'n rhan o'u natur. Ond rhaid bod yn ofalus beth mae rhywun yn ei ddweud wrth ateb, gan y byddan nhw'n ailadrodd y cyfan wedyn wrth ffrindiau ac wrth athrawon yn yr ysgol fore trannoeth. Ac mae Ella yn wahanol i'r hyn fues i. Yn groes i'r graen y byddwn i'n mynd i'r ysgol ond mae hi wrth ei bodd. Ydyn, mae plant yn medru newid bywyd rhywun. Neu ai newid agwedd rhywun at fywyd maen nhw? Y ddau, hwyrach.

Ydy, mae Ella wrth ei bodd yn yr ysgol. Rwy'n gredwr cryf mewn cadw ysgolion bach y wlad yn agored. Dim rhyfedd, gan mai yn ysgol fach Llangwyryfon, neu 'Llangwrddon' i ni, y ceisiwyd gwthio tipyn o synnwyr i 'mhen i. Fe wnes i fwynhau'r ysgol fach ar y cyfan, yn enwedig amser chwarae. Yn Ysgol Uwchradd Dinas yn Aberystwyth ceisiwyd dull gwahanol o'm addysgu, sef dyrnu synnwyr i 'mhen i. Methiant fu'r naill ddull a'r llall. Fedrai diwrnod ffarwelio â'r ysgol fawr ddim dod yn ddigon buan. Cystal cyfaddef na ddysgais i ddim yno.

Rwy bellach wedi cyrraedd 73 oed ac yn dal i fynd. Neu'n 'dal i geibo', fel y dywedir yn yr ardal hon. Ond mae dyddiau plentyndod a llencyndod yn ymddangos fel ddoe. Rwy'n cofio yn Ysgol Dinas, a Tegwyn Rhosgoch ar berwyl rhyw ddrygioni neu'i gilydd, yn cael ei gosbi ac yn gorfod ysgrifennu 'leins'. Fe ddeuai allan ohoni rywfodd neu'i gilydd bob tro. Ychydig flynyddoedd wedi iddo adael fe ddigwyddodd weld yr athro Cymraeg, W. R. Edwards, yn y dre.

'Jiw! Jiw! Edwards, achan!' medde Tegwyn. 'Chi'n dal yn fyw? Chi siŵr o fod yn gant!'

Chwarae teg, chwerthin wnaeth Edwards. Yn yr ysgol roedden ni, blant y wlad, yn destun gwawd yn aml i blant y dre. Ond *ni* fydde'n cael y gair olaf.

Ond does dim byd tebyg i glywed sŵn plant yn chwarae ar yr iard. Ro'n i yn Aberdaron dro'n ôl yn ffilmio ac yn clywed, yn y cefndir, blant yr ysgol leol allan amser chwarae. A dyna i chi enw da ar ganolfan addysgu, Ysgol Crud y Werin. Mae ysgol yn rhoi bywyd i ardal, rhyw fwrlwm. Unwaith mae ysgol yn cau, does yna ddim ailagor. Mae'n drueni gweld cynifer ohonyn nhw'n wag. Ac eraill, yn waeth fyth, yn prysur droi'n furddunnod. Mae pentref heb ysgol fel mynwent. Cofiwch, mae rhai ysgolion ar ôl eu cau wedi eu haddasu'n ganolfannau cymunedol. Da o beth, ond nid ar draul ysgol. Er hynny, mae'n well na gweld ysgol neu gapel yn cael eu troi'n ganolfannau gwerthu carpedi neu'n stordai. Weithiau bydd troi addoldy'n ganolfan gymunedol yn cyfrannu at rywbeth lleol sy'n adeiladol. Ro'n i ym Mhennal dro'n ôl yn claddu Menna, gweddw fy arwr mawr, Richard Rees. Yno roedd capel wedi ei addasu'n neuadd gymunedol. O leiaf fe fydd bywyd cymdeithasol lleol yn parhau yno.

Rwy'n un o'r rheiny sy'n credu bod dylanwad athrawon yn fawr. Yma, yn Llanilar, fe fuon ni'n ffodus iawn mewn prifathrawon. Fe gafwyd J. R. Evans ac ar ei ôl e daeth Beti Griffiths. Roedd y ddau'n perthyn i gyfnod pan fydde'r prifathro neu'r brifathrawes yn ffigurau canolog ym mywyd y fro. Heddiw mae yna gymaint o waith papur gan brifathrawon fel mai prin gael amser i addysgu maen nhw. Ar ben hynny fe gewch chi brifathrawon sydd yng ngofal mwy nag un ysgol. Gweinyddu fyddan nhw gan mwyaf heddiw.

Roedd JR yn ddramodydd o fri. Roedd e hefyd yn ynad heddwch, fel Beti ar ei ôl. Un diwrnod roedd JR ar y fainc, ac o'i flaen roedd bachgen lleol oedd wedi'i ddal yn potsian yn noethlymun yn ystod oriau mân y bore. Fe wnaeth JR atgoffa'r llanc o'r sefyllfa, sef iddo gael ei ddal yn afon Ystwyth yn noeth, â samwn braf yn ei feddiant. A'r llanc yn ateb,

'Hwyrach mai afon Ystwyth yw hi i chi, syr, ond i fi, y Ganges yw hi. Wedi'i wenwyno gan lygredd yr afon roedd y samwn.'

A dyna'i esboniad e o fod yn y dŵr am bump o'r gloch y bore. Fe wnaeth yr hen JR fwynhau hynna!

Yn anffodus mae gweithgareddau ein pentrefi ni wedi edwino. Ysgolion ac addoldai'n cau. Banciau a siopau'n cau. Pobol ifanc yn codi pac am y ddinas. Gweithgareddau cymunedol yn edwino. Rwy'n cofio yn Llanilar, ar y nos Wener gyntaf ym mis Tachwedd bob blwyddyn, fe fydde cyngerdd y sioe yng Nghapel Carmel gyda phum cant o bobol yn llenwi'r lle ac artistiaid gorau'r wlad yn dod yno i berfformio. Ddim bellach. A dim ond un digwyddiad yw hwnnw. Mae'r eisteddfod wedyn a gynhelid bob dydd Gwener y Groglith wedi hen ddod i ben.

Yn y cyfamser, mae rhai pethe'n parhau'r un fath. Ry'n ni'n dal i gadw Gwartheg Duon ynghyd â Defaid Cymreig a rhai hanner-Cymreig neu groes ar ein tri chan erw. Dyw'r Fuwch Ddu Gymreig ddim mor boblogaidd y dyddiau hyn ag y bu. Yn wir, mae hwn yn gyfnod mor ddu â'r gwartheg eu hunain o ran eu poblogrwydd. Mae arwerthiant Dolgellau'n adlewyrchu hynny. Ar un adeg fe fydde'n para dros ddau ddiwrnod, ond erbyn hyn rhyw lond dwrn o wartheg fydd yna. Yr hyn sydd ei angen yw hybu'r brid gyda chyhoeddusrwydd positif. Mae hi'n fuwch arbennig, un o'r bridiau cynhenid o wartheg sydd gyda ni.

Mae'r bridiau cyfandirol wedi dod i mewn i'r wlad a'r rheiny'n ymateb yn well ac yn gynt i'r dwysfwyd. Fe fu adeg pan fydde buwch ddu ar bob ffarm. Ac mae hi'n fuwch dda. Mae hi'n magu ei llo'n ddidrafferth tra bod y fuwch gyfandirol yn brin o laeth ar gyfer magu. Ond erbyn hyn ry'n ninnau wedi plygu i'r drefn a chael tarw gwyn Charolais i'w groesi â'r fuches. John gafodd y syniad, a hynny am resymau masnachol. Mae eu lloi nhw'n gymaint mwy o werth.

Mor wahanol yw sefyllfa'r Cobiau Cymreig. Mae'r rheiny dros y byd yn gyfan. Y cobyn i fi yw'r symbol gorau o Gymru. Mae gweld y stalwyni'n mynd o gwmpas y prif gylch mewn sioe, gan godi eu carnau'n osgeiddig, yn olygfa na wnewch chi fyth mo'i anghofio.

Yr hyn sydd wedi newid, yn y cyfamser, yw ein bod ni wedi cymryd at gontractio amaethyddol yn reit sylweddol, a John sydd â'r gofal am hynny, ac mae dau neu dri'n gweithio gydag e. Mae gofyn i ffermwr arallgyfeirio heddiw neu wnaiff e ddim byd ond sefyll yn ei unfan. Un gwahaniaeth mawr sydd yna rhwng John a fi. Mae e'n ddyn pedair olwyn a fi'n ddyn pedair coes – John wrth y peiriannau, finne gyda'r gwartheg, y defaid, y ceffylau a'r cŵn. A chyda'n diddordebau a'n swyddogaethau gwahanol, ry'n ni'n cyd-dynnu'n rhyfeddol o dda.

Ddaw henaint ddim ei hunan, wrth gwrs. Gynt, pan fyddwn i'n cyrraedd adre ar ôl bod yn ffilmio, fe fyddwn i, ar ôl paned, yn newid ar fy union i'r dillad gwaith. Nawr, fe fydda i'n cymryd pethe'n ysgafn tan fore trannoeth. Ond does yna ddim bwriad llacio gafael. Unwaith fyddwch chi wedi bod yn ffermwr, does dim dod allan ohono. Mae e yn y gwaed. Mae e'n rhan ohonoch chi am byth. Ac mae ffermio 'ym mêr fy esgyrn i a'm cnawd', chwedl Prosser Rhys, bardd o'r henfro.

Fe fydd pobol yn fy nghyfarch i'n aml gyda'r un hen gwestiwn,

'Shwd wyt ti, Dai?'

Finne'n ateb, 'Ew, wedi blino. Wedi bod yn fisi iawn.'

A'r ymateb yn ddi-feth fydd,

'Bachgen, mae yna ateb i hynna. Pam na wnei di riteiro? Mae'n hen bryd i ti.'

Ond haws dweud na gwneud. Dwi ddim yn meddwl y medrwn i riteiro byth. Felly, rwy'n dal i ffermio a dal i ddarlledu yn rheolaidd gan barhau i deithio Cymru bob twll a chornel, a thros Glawdd Offa a thu hwnt i wledydd Prydain yn aml iawn. Ac yn mwynhau gwneud hynny.

Mae'r Hollalluog wedi bod yn eithriadol o hael wrtha i. Yn un peth, fe ganiataodd i fi iechyd reit dda. Rwy cystal fy iechyd nawr ag y bues i erioed, ar wahân i ddioddef o glefyd y siwgwr, ac mae hwnnw dan reolaeth. Yn bwysicach i bob dyn a menyw yn y byd yma na bod yn filiwnydd yw cael iechyd, a chael cyfle i'w fwynhau. Yn wir, petai mwynhad yn arian, fe fyddwn innau'n filiwnydd.

O fewn i'r ffrâm eang mae pethe wedi newid, nid yn unig yn fy ngwaith bob dydd, ond fy ngwaith yn y cyfryngau hefyd. Fe fydden ni unwaith yn chwech, neu hyd yn oed saith neu wyth, allan ar leoliad – dyn camera a chynorthwyydd, dyn sain a chynorthwyydd, dyn goleuadau, cynhyrchydd a chynorthwyydd cynhyrchu. A finne, wrth gwrs. Ro'n i'n tystio weithiau fod yno fwy o geir ar ambell leoliad nag oedd yna o aelodau'r criw. Erbyn heddiw mae hanner y rheiny wedi eu hepgor. Tri neu bedwar fyddwn ni bellach, os hynny, yn cyrraedd mewn dau gar. Y newid mwyaf, hwyrach, yw fy mod i, erbyn hyn, yn cyflawni swydd y cynhyrchydd yn ogystal â chyflwyno. Mae'n debyg mai'r gair am hyn yw amlorchwylio – gair mawr sy'n anodd ei ynganu heb sôn am ei sillafu.

Mantais fawr *Cefn Gwlad* o'r cychwyn yw fy mod i'n ffermwr ac yn gwybod yn reddfol beth yw hoffterau a beth yw cas bethau fy nghyd-ffermwyr. I ddefnyddio gair a gaiff ei arfer yn lleol, gwybod eu tast nhw. A phan fydda i'n holi ffermwr, rwy'n gorfod cofio'r pwysigrwydd o'i gadw'n hapus, gan y bydd angen hanner awr o raglen arna i. Dwi ddim eisie iddo fe bwdu ar hanner y ffilmio.

O ran *Cefn Gwlad*, fe fyddwn ni, yn y dyddiau cynnar, yn creu dwy raglen ar hugain bob blwyddyn. Yn ogystal â'r ffilmio bydd gofyn ymgymryd â'r gwaith ymchwil cyn y saethu ac yna trosleisio, neu ddybio, ar ôl torri'r rhaglen a gosod y darnau at ei gilydd. Mae'r trosleisio'n golygu mynd i'r stiwdio yng Nghaerdydd lle byddwn ni'n dybio tua phedair rhaglen mewn diwrnod. Rhwng popeth, fe all blwyddyn ddiflannu'n chwim iawn.

Ry'n ni wedi cael car swyddogol ers sawl blwyddyn bellach, yn rhad ac am ddim, gan David Gravell o Gydweli. Ac rwy'n gwerthfawrogi hynny'n fawr. Mae'n golygu nad oes hanner cymaint o filltiroedd ar gloc fy nghar i. Rwy'n cofio pan o'n i'n canu flynyddoedd maith yn ôl, ac wedyn yn ffilmio, ro'n i'n teithio dros gan mil o filltiroedd y flwyddyn. Bryd hynny roedd rhywun yn gadael ben bore ar ôl godro a dod yn ôl pan fyddai'n goleuo fore trannoeth. Ar gyfer ffilmio fe fyddwn i'n dod adre, gan amlaf, erbyn amser godro'r nos ar ôl gweithio ar raglen neu ddwy yn y stiwdio mewn diwrnod, a'r hen gar heb gael amser i anadlu, bron iawn.

Dwi ddim yn un sy'n mwynhau gyrru. Yn aml does dim dewis, wrth gwrs. Ond mae'n braf cael rhywun arall i wneud hynny drostoch chi weithiau. Ac fe ddweda i gyfrinach fach wrthoch chi – rwy'n un gwael pan ddaw'r angen i rifyrso, yn enwedig os bydda i'n tynnu trelyr. Yn aml iawn ym Mart Tregaron fe fydd torf yn crynhoi ddim ond i 'ngweld i'n rifyrso neu'n bacio'n ôl. Gyda llaw, dyna i chi ymadrodd rhyfedd yw 'bacio'n ôl'. Pam bacio'n ôl? Fedrwch chi ddim bacio mlaen. Ond a dweud y gwir, mae fy rifyrso i'n creu cymaint o ddiddordeb ymhlith pobl fel y dylwn i gael grant gan Gyngor y Celfyddydau am ddiddanu torf. Mae sawl un wedi cael grant am bethau gwaeth o lawer, o ran creu adloniant.

Hwyrach bod rhai ohonoch chi'n cofio'r hysbyseb deledu honno flynyddoedd yn ôl yn y chwedegau, un oedd yn annog gyrwyr i facio'n ôl yn ddiogel. Eitem wybodaeth gyhoeddus oedd hi ar deledu'r BBC. Roedd y sylwebydd yn ein cyflwyno i Reginald Molehusband, dyn priod gyda dau o blant, oedd â'i barcio'n berygl cyhoeddus. Fe ddeuai pobl o bellter byd dim ond i'w weld yn ceisio parcio. Gosodid bets ar ei berfformiad. Os gwnai Reginald fynd tuag yn ôl heb hitio rhywbeth, byddai'n siŵr o wneud iawn am hynny drwy ei hitio wrth fynd ymlaen. Bydde gyrwyr bysys a thacsis yn newid eu teithiau er mwyn ei osgoi. Hynny yw, tan y diwrnod y bu i Reginald Molehusband lwyddo.

'Ddim yn rhy agos, yn ddigon pell ymlaen... ymlaen, Reginald... bacia'n ôl yn araf... ymlaen... gwylia'r traffig... a pharcio perffaith!' meddai'r sylwebydd. 'Da iawn. Reginald Molehusband, y parciwr mwyaf diogel yn y dre!'

Roedd pawb wedyn yn curo dwylo. Yn anffodus, dim ond y rhan gyntaf oedd yn berthnasol i fi. Yn aml iawn yn y mart fe fydd rhywun yn cynnig cymryd y llyw a rifyrso yn fy lle i, ac fe wna i dderbyn y cynnig yn llawen bob tro. Niwsens yw gyrru i fi. Ond niwsens angenrheidiol. Mae rhywun fel fi yn gorfod gyrru tipyn – yn amlach na pheidio does dim dewis arall. Ar un adeg fe ofnwn mai diffyg ar fy llygaid oedd yn gyfrifol am fy lletchwithdod wrth rifyrso. Yn wir, fe es i at yr optegydd, Clive Williams yn Aberystwyth, am brawf llygaid.

'Mae dy lygaid di'n iawn,' medde Clive ar ôl y prawf. 'Dim un problem.'

Ceisiais esbonio bod fy llygad dde i'n llygad ddiog, yn *lazy eye*. Athrawes Ysgol Llangwrddon gynt, Mrs Andrews, oedd wedi dweud hynny wrtha i. A dyma fi'n esbonio wrth Clive fy mod i, wrth rifyrso, yn gorfod cau un llygad wrth edrych yn y drych. A Clive yn ateb,

'Falle bod dy drwyn di yn y ffordd.'

Os na wellodd fy rifyrso i dros y ddau ddegawd diwethaf, mae rhai pethe wedi newid. Ym myd y cyfryngau, mae hynny'n arbennig o wir, ond mae'n dal yn waith pleserus iawn. Tri diwrnod yr wythnos sy'n mynd gyda'r cyfryngau fel arfer nawr a phedwar diwrnod gartre. Ond mae amser yn mynd hefyd ar gyfer gwneud yr ymchwil, a bydd angen bod yn rhydd ar fore Gwener i recordio rhaglen *Ar Eich Cais* i Radio Cymru yn y stiwdio yn Aberystwyth ar gyfer nos Sul. Mae cyflwyno'r rhaglen honno'n rhoi cymaint o bleser i fi na dim byd.

Mae pethe'n dod yn haws nag oedden nhw. Yn un peth, mae rhywun yn dod yn gyfarwydd â'r drefn, ac rwy'n lwcus gan nad oes neb wedi gorfod sgriptio i fi erioed. Rwy'n hoffi sgriptio fy hun a hynny yn fy amser fy hun. Mae hynny'n golygu fod y geiriau, drwyddi draw, ar flaen fy mysedd. Dwi ddim yn un i gadw at sgript, cofiwch, ddim mwy nag y bues i'n un i ganu o gopi. Mae'r cyfan yn dod o'r frest neu o'r galon. Canllawiau i fi yw sgriptiau a chopïau.

Yn achlysurol fe fydda i'n cael cyfle i ymweld â Llunden, lle ces i fy ngeni'n Gocni Cymraeg. Yn wir, fe ddaeth cyfle'n ddiweddar i fynd i Gapel Castle Street i siarad yng nghyfarfod misol Cymdeithas Capeli Cymraeg y ddinas. Mae yno weinidog newydd, gŵr amlwg iawn yn y byd cerddorol ac un a fu'n bennaeth cerdd S4C, sef Robert Nicholls o Benclawdd. Fe aeth Rob ati o'r dechrau i sefydlu nosweithiau cymdeithasol, a fi gafodd y fraint o annerch yn y cyfarfod agoriadol.

Castle Street, fel y galwyd ef bryd hynny, oedd capel

y teulu, addoldy y bydde Tad-cu a Mam-gu, a 'Nhad a Mam yn ei fynychu'n rheolaidd. Ro'n innau wedi dechrau mynychu'r ysgol Sul nes i fi ymfudo i Gymru at Wncwl Morgan ac Anti Hannah. Fe fyddwn i'n mynd yno hefyd bob tro y byddwn i'n ymweld â'm rhieni. Rwy'n cofio mai Walter P. John o Bontarddulais oedd y gweinidog pan o'n i'n grwt. Roedd e'n bregethwr da, yn meddu ar lais arbennig. Mynychwr rheolaidd oedd y Dr Terry James. Hwn oedd capel Lloyd George. Yn ei ddydd, fe fydde hwnnw'n addoli yno. Lewis Lewis wedyn, o deulu'r teilwriaid o Lanrhystud, roedd e'n flaenor yno, dyn â barf urddasol.

Mae fy mherthynas i â Llunden wedi bod yn amwys erioed. Yn blentyn ro'n i'n breuddwydio am fynd i'r wlad. Rwy'n meddwl mai un o'r cymhellion mawr fu cael llyfr am gi defaid o'r enw Black Bob, a finne'n breuddwydio am gael ci tebyg a byw ar ffarm. Ond o fynd at Wncwl ac Anti ro'n i'n dal i feddwl am Lunden. Bob nos Wener fe fyddwn i'n cael sgwrs ar y ffôn gyda 'Nhad a Mam o'r ciosg coch yn Llangwrddon. Fe fedra i gofio rhif eu ffôn o hyd, Archway 5006. Ond mewn gwirionedd doedd dim cymhariaeth rhwng y ddau le.

Pan es i fyny i annerch y Gymdeithas Capeli yn ystod gwanwyn 2016 roedd y lle'n llawn. Roedd yno rai hen ffrindiau oedd wedi ymfudo i Lunden, Tom Lloyd, Derigaron, a'i wraig, Leis Cornel, merch o Langwrddon. Roedd Ifan y mab wedi dod â nhw yno. Fe fu Tom a Leis yn cadw siop yn y Candy Bar yn 555 Holloway Road am flynyddoedd. Dyna i chi help i siaradwr mewn lle dieithr yw cael presenoldeb hen ffrindiau oedd gynt o'r ardal yno'n eistedd yn y rhes flaen. Pobol oedd yn gwybod eich hanes chi. A Leis yn dweud wrtha i:

'Dai bach! Feddylies i byth y gwnawn i dy weld ti 'nôl mewn lle fel hyn, a thithe'n grwt mor ddrygionus!'

Mae rhywbeth felna'n rhoi ysbrydoliaeth i chi wrth siarad mewn lle dieithr. Ie, Leis Cornel. Cofio'n dda'r daith i'r capel gynt yn hen Ffordyn Evans, Tanglogau, gyda William Howells, Pant-teg, wrth ei ochr. Wedi'n gwasgu i'r sedd ôl roedd Olwen, Maesbeidiog, Trefor fy mrawd, a finne. A Leis Cornel. Doedd Leis ddim yn fach iawn y dyddiau hynny. Fel y dywedais i yn *Fi Dai Sy' 'Ma*, petai hi wedi digwydd dod â'i handbag gyda hi, fe fydde injan yr hen gar wedi tagu, ac un neu ddau ohonon ni ar Riw Pengelli yn gorfod mynd allan i gerdded. Y bardd Mynyddog, rwy'n meddwl wnaeth ddweud:

Mae eisiau nerth i fynd drwy'r byd,
Mae eisiau nerth o hyd, o hyd;
Mae'r oes yn llawn o riwiau serth
Ac ar bob rhiw mae eisiau nerth.

Ond dyna i chi bleser fu cael cwrdd â Leis unwaith eto, a hynny'n dihuno llwythi o hen atgofion cynnes. Ac oedd, roedd ei handbag gyda hi, yn sownd o dan ei chesail.

2

Gwreiddiau

FE WNES I gyfeirio'n gynharach at y Cobyn Cymreig. Wel, mae'n teulu ni wedi bod yn cadw Cobiau Cymreig ers cenedlaethau, gan gynnwys Ewyrth Dan, Brynchwith. Yno y trigai Tad-cu a Mam-gu – John a Mari Jones. Yno y ganwyd y mwyafrif o'u deg o blant, a 'Nhad yn eu plith. Fe fyddwn i'n galw yno byth a hefyd gan fod gen i dri chefnder a chyfnither yn byw yno – Islwyn, Trefor, Ceredig a Mair.

Roedd gan Ewyrth Dan gaseg enwog o'r enw Wyre Star. Mae afon Wyre'n rhedeg drwy'r fro. Yn wir, mae yna ddwy afon Wyre, y Fach a'r Fawr, y ddwy'n ymuno â'i gilydd. Roedd y rhagenw Wyre felly'n addas iawn ar gobiau'r ardal. Ond o ran y genhedlaeth hon, prin iawn bod neb ohonon ni'r teulu â diddordeb mewn cobiau bellach ond y fi, a diddordeb diweddar yw hwnnw.

Un peth, falle, oedd wedi fy atal i rhag mynd i fyd y cobiau oedd y ffaith y bydde rhaid, os am redeg cobyn, i chi redeg yn llythrennol gydag e wrth ei ddangos e mewn sioeau. Dyw rhedeg ddim wedi bod yn rhan fawr o 'mywyd i erioed, ac yn sicr dyw e ddim y dyddiau hyn. Dim ond fy nhrwyn i sydd wedi rhedeg erioed, ar wahân i un achlysur pan wnes i, drwy ryw ryfedd wyrth, ennill

22

yr hawl i gynrychioli Ysgol Dinas yn y Mabolgampau Sirol. Fedra i ddim coelio hyd heddiw i fi lwyddo i wneud rhywbeth mor annisgwyl ag ennill ras. Rwy'n un o'r rheiny na fedrai ennill *three-legged race*, hyd yn oed petawn i'n tyfu trydedd goes!

Ond mae gen i greaduriaid sy'n medru rhedeg a phrancio, rheiny'n gobiau Bridfa Llanilar. Ac rwy wedi gwerthu cesyg i rai bridwyr ifanc, bechgyn fel Ceri Drefaes fan hyn. Fe brynodd e aml i gaseg wrtha i. Mae ganddo fe wyres, a phan oedd ceffylau'n mynd yn rhad fe ddaliais ar y cyfle i roi swclen yn anrheg i'r groten fach ar ei genedigaeth. Mae Ceri'n gwneud jobyn da gyda'r cobiau. Mae e'n hanu o deulu Brynele, Bwlchllan, ac mae hynny ynddo'i hun yn golygu ei fod e'n ddyn ceffylau wrth natur.

Erbyn heddiw fe fydd yn rhaid i fi wneud rhywbeth ynghylch yr holl geffylau sydd gen i, neu fe fydda i'n berchen ar fwy o gobiau nag o wartheg. Ar hyn o bryd mae gen i, ymhlith y ceffylau, ddwy gaseg ifanc ac un gaseg fagu. Mae rhywbeth arbennig mewn cadw cobiau. Meddyliwch am godi yn y bore ac edrych allan drwy'r ffenest ar gaseg a swclyn yn y cae. Mae hi'n olygfa arbennig, yn berthynas arbennig rhwng merlen a'i chyw. Mae'r un peth yn wir am weld Gwartheg Duon Cymreig hefyd. Gweld llo cynta'r flwyddyn. Mae e fel gweld oen cynta'r tymor, yn rhoi rhyw wefr i rywun. Dyma un o'r manteision o fod yn ffermwr, sef bod yn dyst i olyniaeth.

Ond mae hi'n stori wahanol yn y byd mecanyddol a thechnegol. Cyn belled ag y mae peiriannau yn y cwestiwn rwy'n dalentog o dwp. Dim rhyfedd. Fedra i ddim ymserchu mewn rhywbeth mecanyddol, rhywbeth heb fod iddo enaid. Mae enaid mewn creadur. Mae ynddo ysbryd – yn arbennig yn y cobyn.

Ac o gyfeirio at dechnoleg fodern, mae'r ffôns newydd yma wedyn yn bla. Dwi'n deall dim amdanyn nhw. Yn un peth mae fy mysedd i mor fawr. Fedra i ddim tecstio, er enghraifft. Bob tro y bydd angen gwthio botwm, fe fydda i'n gwthio dau fotwm ar y tro. Fydd yr un neges felly ddim yn gwneud unrhyw synnwyr. Erbyn hyn rwy wedi cael ffôn gyda'r botymau mwyaf sy'n bod, rhai mawr fel cerrig beddau. Mae ffôns heddiw'n cynnig pob math o wasanaeth i chi – tecstio, tynnu lluniau, pori ar y we. Cyn hir fe fydd modd berwi wy arnyn nhw. Maen nhw'n cynnig popeth ond yr hyn rwy ei angen fwyaf, sef ffonio.

Na, does gen i ddim meddwl technegol neu fecanyddol o gwbwl. Mae gyrru car yn ddigon cymhleth a thrafferthus. Ond yn anffodus, fel y nodais i, does gen i ddim dewis cyn belled ag y mae gyrru yn y cwestiwn. Ac erbyn hyn mae'r ffôn poced yr un mor anhepgor. Ac o'u deall nhw, does dim dwywaith nad ydyn nhw'n declynau defnyddiol, yn enwedig i rywun fel fi sydd allan yn nyfnderoedd cefn gwlad mor aml.

Pan wnes i ddechrau cyflwyno *Rasus* ugain mlynedd yn ôl fe ges i gynnig ffôn symudol gan un o'r cyfarwyddwyr, John Watkin, sy'n byw ers tro bellach yn Ffair-rhos. Fe dderbyniais i gynnig John yn ddigon parod, a dyma fe'n agor bocs â'i lond o ffôns poced, yn union fel petai'n agor bocs o After Eights a gofyn i fi ddewis un. Do, fe ges i ddewis y teclyn o'n i'n moyn fel Lucky Dip mewn basâr. Ymhen sbel fe ddaeth gofyn arna i i ddanfon tecst, a dyna lle bues i'n gweiddi mewn i'r ffôn nes oedd fy nghlustiau i'n corco. Doedd yna ddim ateb o'r peiriant, a ddaeth yna ddim ateb chwaith. Siarad â fi'n hunan fyddwn i. Wyddwn i ddim fod angen teipio'r tecst.

Un broblem fawr yw ceisio cofio fy rhif fy hunan. Yr unig ateb yw sticio darn o bapur ar gefn y ffôn a nodi'r rhif ar hwnnw. Mae'r ffôn presennol gen i ers dau ddegawd bellach a dwi ddim callach. Rwy'n dal heb fedru cofio fy rhif heb help y cofnod. Fe fedra i ei hateb hi pan ddaw galwad, ond fawr ddim arall.

Un tro ro'n i yn y Talbot yn Nhregaron pan alwodd y barman fi draw a dweud bod John Watkin wedi gadael neges. Roedd e am i fi ei ffonio. Allan â'r ffôn poced a gwasgu botymau. Dim byd yn digwydd. Fe fuodd rhaid i fi fynd allan i ffonio John o'r ciosg coch wrth ymyl y Neuadd Goffa. Diolch byth fod ambell giosg ar ôl o hyd. Canfod un sydd heb ei fandaleiddio yw'r gamp. Nid bod gen i gariad atyn nhw.

O gwmpas y ciosg coch yn Llangwrddon fydden ni'n chwarae'n blant. Un gêm oedd dal cathod a'u cau nhw yn y ciosg. Rheiny wedyn yn mynd yn gynddeiriog, yn sgrechian a phoeri. Wnawn i ddim ymuno yn y gêm honno. Fe fydde'n well gen i wynebu arth na chath. Ar Trefor Maesbeidiog oedd y bai. Un tro, ro'n i'n sâl yn fy ngwely ac fe alwodd e ac Olwen, ei chwaer. Roedd e wedi ffeindio cath yn rhywle ac fe'i taflodd hi ar fy mhen i yn y gwely. Fe aeth y creadur yn wallgof ac fe adawodd rywbeth na ddylai hi ar y garthen. Fe'i teflais hi mas drwy'r ffenest! O hynny hyd y dydd heddi fedra i ddim bod o fewn milltir i gath. Pan wela i gath fe fydda i'n delwi yn fy unfan, fel gwraig Lot.

I fynd yn ôl at y ffôns poced, peth arall amdanyn nhw yw eu bod nhw'n dueddol o ganu ar adegau anghyfleus. Mewn cyfarfod neu ar lwyfan wrth arwain cyngerdd, er enghraifft. Neu yn y capel ar nos Sul. Ac mae hynny'n dod â fi at grefydd. Un peth na fydda i'n ei wneud mor aml ag y byddwn i, nac mor aml ag y dylwn i, yw mynd i'r cysegr. Fe fues i'n gapelwr ffyddlon unwaith. Pan o'n i'n grwt yn Llangwrddon fe fyddwn i'n mynd deirgwaith bob dydd Sul. O symud i Lanilar wedyn, fe fyddwn i'n saff o fynd bob bore dydd Sul. Yr un oedd y stori bob tro yr awn i fyny i Lunden i weld fy rhieni. Fe fyddwn i'n ffyddlon iawn. Ond nawr, dwi ddim yn mynd yn aml. Mae'n anodd o fod bant, hynny weithiau drwy'r wythnos. Rhyw esgus yw hynna, wrth gwrs. Esgus tila hefyd. Ond mae'r penwythnos yn anodd. Mae dydd Sadwrn a bore dydd Sul yn golygu mynd o gwmpas y stoc, rhyw fath o arolygu ac adolygu.

Fe fydda i'n meddwl fwyfwy'r dyddiau hyn wrth heneiddio am ddylanwad yr ysgol Sul, y Seiet a'r oedfaon, ar fy nghenhedlaeth i a rhai hŷn. Nid rhamantu yw hyn. Nid rhyw hiraethu am yr hyn a fu. Mae'n werth i chi sylwi, pan fyddwch chi yng nghwmni pobol dros y trigain oed, pa mor aml y byddan nhw'n defnyddio delweddau Beiblaidd ac emynyddol wrth sgwrsio. Fe ddaw darn o adnod neu linell o emyn i mewn i'r sgwrs byth a hefyd. Mae'n dyled ni i'r cysegr yn un anferth. A dylwn, fe ddylwn i ailgydio yn yr arferiad o fynychu capel.

Pan fydda i gartre, mae'n rhoi cryn bleser i fi bellach, i eistedd yn y parlwr yn edrych ar rai o'r cwpanau a'r medalau a ddyfarnwyd i fi mewn eisteddfodau, sioeau a threialon cŵn defaid. Dim ond edrych arnyn nhw a dim byd arall i dynnu fy sylw. Does yna ddim teledu yn y stafell. Yno, bydda i'n meddwl ac yn edrych ac yn cofio ac am y pleser gefais i o'u hennill. A'r pleser mwy o gael cystadlu amdanyn nhw ymysg hen gyfeillion. Cofio wedyn y pleser ychwanegol o ennill weithiau. Cofio'r amserau pan fydde hyd yn oed colli yn bleser. Cael bod yno oedd y peth mawr, gydag eneidiau hoff cytûn. Cofio beirniaid canu slawer dydd fel y direidus E. D. Jones, Tregaron, neu Jonsi Bach fel y câi ei adnabod, a'r athrawon lleisiol cynnar, Redvers Llewellyn, Ifan Maldwyn a Colin Jones.

Y pleserau syml nawr yw mynychu mart ddefaid Tregaron ar ddydd Gwener; mart y Trallwng weithiau ar ddydd Llun; mart Dolgellau weithiau hefyd i werthu Gwartheg Duon. Gore i gyd os na fydd angen i fi rifyrso.

Fe fues i'n aelod ffyddlon o Glwb Ffermwyr Ifanc Llangwyryfon. Yna, o symud i Berthlwyd, yn aelod o Glwb Llanilar. Roedd Clwb Llanilar wedi peidio â bod am rai blynyddoedd pan aethpwyd ati i'w ailsefydlu. Sylweddoli wnaethon ni fod ganddon ni gynifer o bobol ifanc yn y fro a dim clwb lleol ar eu cyfer nhw rhwng Llangwrddon a Lledrod. Fe enwyd y clwb yn Glwb

Ffermwyr Ifanc Llanilar a'r Cylch gydag aelodau'n dod o'r fro ac i fyny Dyffryn Ystwyth hyd at Lanafan.

Mae Dyffryn Ystwyth yn ardal amaethyddol ffrwythlon iawn a nifer o bobol ifanc naill ai wedi aros adre i ffermio neu wedi dychwelyd adre ar ôl bod bant. Doedd gan fawr neb ohonyn nhw brofiad o gymryd rhan mewn gweithgareddau oedd yn golygu wynebu cynulleidfa fel siarad cyhoeddus neu gadeirio cyfarfodydd. Fe gawson ni glwb bywiog a barodd am un mlynedd ar ddeg. Olwen a finne gafodd y fraint, gydag eraill, o fod yn arweinyddion y clwb. Fe wnaeth yr aelodau daflu eu hunain i'r bwrlwm gan ymgymryd â phob math o weithgareddau, yn arbennig yn y cystadlaethau oedd ym mlwyddlyfr y mudiad. Yn eu plith roedd y siarad cyhoeddus, oedd o ddiddordeb mawr i fi. Gwaith ffarm, ffenso a barnu stoc. Cystadleuaeth ddrama'r sir wedyn. Yn wir, roedden nhw'n dda ymhob gweithgaredd.

Ond er ein bod ni'n glwb o dros gant o aelodau, doedden ni ddim yn medru ymwneud rhyw lawer â chanu. Doedd neb â rhyw ddiddordeb mawr yn yr ochr gerddorol, yn anffodus, ar wahân i fi. Ond fe fuon ni'n ddigon dewr i roi cynnig ar gystadleuaeth y côr yn Eisteddfod y Sir yn Neuadd Llandysul. Roedd ganddon ni gôr o gant o leisiau a fi'n cael y fraint o arwain. Fe wnaethon ni ddewis darn poblogaidd a bywiog iawn, sef 'Moliannwn', cân a anfarwolwyd gan Bob Tai'r Felin. Canu'n unsain wnaethon ni oherwydd doedd y darn ddim yn addas ar gyfer pedwar llais. Fyny â ni i'r llwyfan a gosod ein hunain yn drefnus. Ro'n i'n teimlo fel petai'r byd yn gyfan yn pwyso ar fy ysgwyddau i. Y tu ôl i fi roedd llond neuadd, a thros gant o ffermwyr ifanc o 'mlaen i. Cyn mynd drwy'r mosiwns o arwain dyma fi'n ceisio atgoffa'r aelodau o'r hyn roedd disgwyl iddyn nhw'i wneud. A chyn taro'r nodyn cynta dyma fi'n gofyn,

'Oes yna rywbeth arall? Oes unrhyw un am ofyn rhywbeth?'

Ro'n ni wedi cael ein cyflwyno, a finne'n crynu fel deilen. Ro'n i ar fin codi fy nwylo i roi'r arwydd i ddechre pan gododd Richard Tudor ei law.

'Ie, Richard,' medde fi, 'beth wyt ti am wybod?'

'Dim ond rhyw feddwl, Dai,' medde fe. 'Cwestiwn bach syml. Oes raid i ni edrych arnat ti?'

Dyna i chi gwestiwn, a ninnau wedi bod wrthi'n ymarfer am wythnosau! Ond dyna'r math o berthynas oedd rhyngon ni'r aelodau a'n gilydd. Er gwaetha popeth fe gawson ni feirniadaeth ddigon da. Os cofia i, fe ddaethon ni'n drydydd – mas o dri. Ta waeth, yr hyn oedd yn bwysig oedd inni drio. Dyna oedd y ddelfryd Olympaidd unwaith. Ond ddim mwy. Ennill yw'r peth mawr heddiw a chlochdar yn uchel am hynny wedyn.

Un peth am drwch aelodau'r clwb oedd bod ganddyn nhw rieni arbennig, rhieni oedd yn gefnogol i'r clwb ac yn awyddus i ni wneud ein gore. Doedden nhw ddim am i'r aelodau fod yn ddibynnol arnon ni'r arweinwyr. Fe fydden nhw am weld arbenigwyr ym mhob maes yn dod i mewn i ddysgu a hyfforddi'r aelodau. Roedd hynny'n wir pan o'n i'n aelod gynt yn Llangwrddon a Hywel Thomas, Llanarth, yn dod i'n dysgu ni ar gyfer y siarad cyhoeddus. Ei gyngor mawr e fydde:

'Siaradwch i bwrpas bob amser. Peidiwch â dibynnu ar eiriau gwag. A meddyliwch am eich testun. Peidiwch â becso beth mae neb arall yn ei ddweud. Dwedwch chi eich dweud, a hynny gydag urddas.'

Heulyn Thomas wedyn fu'n ein dysgu ni. Roedd e'n wahanol. Yn un peth roedd e'n fwy o ran corff a chanddo'r llais trwm yna. Pan gyfunai syniadau Hywel a Heulyn aen ni ddim ymhell o'n lle. Fe wnaethon ni ennill y gystadleuaeth unigol sirol, ac un neu ddau'n ennill dros Gymru, ac fe wnaeth un o dimau'r Clwb hefyd ennill yn genedlaethol unwaith.

Mae'n syndod fel mae llwyddiant fel yna yn newid ardal. Doedd ganddon ni ddim pobol ifanc nes daeth y Clwb Ffermwyr Ifanc i fodolaeth. O leiaf, doedden nhw ddim i'w gweld. Yna, o sefydlu'r clwb, dyma nhw'n ymddangos. Fe fydden ni'n mynd mewn bws i'r gwahanol weithgareddau, cwrdd yn nhafarn y Falcon, a'r bws wedi bod yn codi aelodau fan hyn a fan draw. Yna, un oelad bach i iro'r gwddw yn nhafarn y Falcon ar sgwâr Llanilar cyn mynd.

Ymhlith ein llwyddiannau daeth gwobr ddrama'r sir. Fe fuon ni ymhlith y tri uchaf droeon. Mari Vaughan Jones o Gapel Bangor ac Ann Vaughan oedd dwy o'r hoelion wyth. Roedd Mari wedi bod yn weithgar ym myd y ddrama yng Nghaerdydd ac yn Llunden. Roedd pawb yn ffrindiau â Mari. Fe fydden ni'n crynhoi yn ei chartref ar gyfer ymarfer. Un peth pwysig iddi fydde cael y gwisgoedd iawn. Rwy'n cofio perfformio *Y Practis* un flwyddyn. Fe gawson ni hwyl eithriadol wrthi. Rwy'n cofio un ymarfer arbennig yn Neuadd Llanafan, sef y *dress rehearsal*. Roedd pawb wedi gwisgo lan, a fu 'na ddim mwy o chwerthin yn unlle erioed. Dyma'r cast, fesul un, yn ymddangos yn eu gwisgoedd, gan beri i bawb bwffian chwerthin.

Cystadleuaeth boblogaidd arall oedd yr hanner awr o adloniant – ac mae'n dal i fod yn boblogaidd. Meddyliwch am rai o'r bobol a feithrinwyd gan ddramâu ac adloniant ysgafn y mudiad. Ifan Tregaron i enwi dim ond un – cynnyrch y mudiad o'i ben i'w draed. Nid yn unig mae e'n berfformiwr ond mae e hefyd yn ddramodydd ac yn feirniad drama. Mae Ifan yn nhraddodiad gorau pobol fel Idwal Jones, un oedd bob amser yn mynnu y dylid cymryd doniolwch o ddifri.

Fe fu Ifan a fi'n cydweithio cryn dipyn. Roedd gen i ffrindiau a wnes i drwy *Cefn Gwlad*, sef Nansi a John, Maestir-mawr. Ro'n nhw'n cynhyrchu llysiau, yn datws a moron a swêdj a bresych, popeth fynnech chi, a'u gwerthu nhw ym Marchnad Abertawe. Fydden nhw byth yn methu'r noson lawen Gŵyl Ddewi. Un tro, dyma Ifan a finne'n dod mas o'r noson lawen a John wedi blocio'r fynedfa gyda'i fan.

'Hwde, nawr 'te, cer â rhein adre gen ti.'

A dyma fe'n tynnu allan dwy neu dair sachaid o datws, moron a swêdj. Ac Ifan yn chwerthin nes roedd e'n wan. Ry'n ni'n dau yn ffrindiau mawr. Pan fyddwn ni'n cwrdd ym mart Tregaron, a finne'n llwyddo i gael Ifan i chwerthin, rwy'n teimlo i fi gyflawni gorchest. Ry'n ni wedi teithio llawer gyda'n gilydd.

Y Rali Sirol oedd un o uchafbwyntiau'r flwyddyn. Mae'n arferiad yng Ngheredigion mai'r enillwyr un flwyddyn fydd yn llwyfannu'r Rali'r flwyddyn wedyn. Hynny yw, petai Tregaron yn ennill, yna Tregaron fydde'n ei chynnal y flwyddyn ddilynol. Mewn un mlynedd ar ddeg o fodolaeth fe enillon ni'r Rali bum gwaith. Roedden ni'n dipyn o giamstars yng nghystadleuaeth y *tableau* neu'r tablo. Hanfod y tablo oedd llwyfannu golygfa statig fel darlun wedi ei seilio ar ryw thema neu'i gilydd. Fe alla i gofio mai testun y tablo pan lwyfannodd Lledrod y Rali oedd Eira Wen a'r Saith Corrach. Fe wnaethon ni adeiladu byngalo bach. Pan welodd Ifan James, Henbant, yr adeilad dyma fe'n dweud:

'Bachan, bachan! Paid â thynnu hwn lawr ar y diwedd, myn uffarn i! Dyma'r tŷ perta yn Lledrod!'

Cyn y Rali fe fydde nosweithiau'n mynd ar gyfer chwilio am offer a deunydd ar gyfer y tablo, yn goed a ffensys. Gwisgo'r gwahanol gymeriadau wedyn. Doedd honno ddim yn dasg hawdd. Un flwyddyn, y testun oedd creu tablo ar unrhyw ddihareb. Fe wnaethon ni ddewis 'A fo ben, bid bont'. Fe wnaethon ni adeiladu pont dros afon. Roedd un ochr i'r bont yn dlodaidd iawn a'r llall yn gyfoethog. Fe wnaethon ni gerdded yr ardal i chwilio am geiliog tenau. O'r diwedd fe gawson ni un. Roedd e fel deryn du. Hwyrach ei fod e ar ddeiet cyn y Nadolig. Wedyn rhaid oedd chwilio'r ardal eto am glacwydd tew ar gyfer yr ochr arall. Roedd honno'n dasg haws. Y Prif Weinidog ar y pryd oedd Margaret Thatcher ac fe gawson ni ferch i'w chymeriadu hi yn gorwedd dan y bont. Y syniad oedd eich bod chi'n croesi'r bont dros yr hen Thatcher i fyd gwell.

Fel rwy'n dweud yn aml, ches i ddim coleg. Yr unig

hyfforddiant ges i erioed oedd hwnnw gan fy athrawon
canu a Mudiad y Ffermwyr Ifanc, a ddysgodd fi i fod
yn gyffyrddus ymhlith pobol, ac yn bwysicach fyth,
o flaen pobol. Ac yn fy nhro, dyma beth geisiais i ei
ddysgu i aelodau'r clwb. Yn sgil hyn fe ddatblygodd
yr aelodau, a'r clwb yn gyffredinol. Fe aethon ni ati i
gynnal gweithgareddau oedd y tu allan i gwricwlwm y
mudiad. Fe wnaethon ni gynnal Cwrdd Diolchgarwch
yn y capel a'r eglwys am yn ail. Noson i'r henoed
wedyn, a gwasanaethau carolau. Fe aethon ni ati hefyd
i lwyfannu noson o gân. Noson o ddarlithiau wedyn a
mynd allan i'r siroedd i glybiau eraill, rhai ohonon ni'n
mynd atyn nhw a nhw'n dod aton ni.

Un flwyddyn, a ninnau wedi ennill y ddrama sirol,
fe wnaethon ni lwyfannu honno ymhlith tair drama
arall oedd wedi dod i'r brig. Yn Theatr y Werin yn
Aberystwyth roedd y fenter i'w chynnal. Un o ddramâu
J. R. Evans, cyn-brifathro Ysgol Llanilar, oedd gyda
ni. Fe gawson ni ei gymorth ef droeon, a'i olynydd fel
prifathro, Beti Griffiths. A dyma ni'n sylweddoli bod
hyn yn rhywbeth uchelgeisiol iawn. Ro'n ni'n mynd i
berfformio mewn theatr go iawn gyda chyfleusterau
arbennig, fel goleuadau. A dyma annog yr aelodau.

'Dyma gyfle i chi berfformio mewn lle proffesiynol.
Mwynhewch y peth. Ac o gael cynulleidfa dda fe allwch
chi i gyd ymhyfrydu yn y ffaith i chi greu rhywbeth
newydd.'

A wir i chi, roedd y lle dan ei sang. Mae pobol yn
dueddol o anghofio mai mudiad gwirfoddol yw Mudiad
y Ffermwyr Ifanc, gyda'r aelodau'n rhoi o'u hamser.

Mudiad amatur yn ystyr gorau'r gair. Fe fu'r mudiad ar un adeg yn rhyw forwyn fach o'i chymharu â'r Urdd, ond bellach caiff gweithgareddau'r clybiau lwyfan ar S4C, ac mae hynny wedi bod yn hwb mawr i'r mudiad.

O'r holl weithgareddau, fe ddwedwn i mai barnu gwartheg oedd yr atyniad mwyaf poblogaidd i'r aelodau. Roedd aml i aelod, wrth gwrs, nad oedd yn ffermio ond roedd pawb â chysylltiad â theuluoedd oedd yn ffermio. Mae amryw o gyn-aelodau Llanilar a dorrodd eu dannedd yn y Rali wedi bod wrthi wedyn yn feirniaid ar y cystadlaethau barnu, hynny yw, yn farnwyr ar y barnwyr. Bu amryw hefyd yn beirniadu stoc yn y Sioe Frenhinol ac yn y Ffair Aeaf, beirniadu'r ŵyn tew a'r gwartheg tew, a'r merched yn beirniadu gwaith llaw a choginio. Y rhain i gyd wedi eu dysgu fel aelodau o'r clwb, a nawr yn dysgu a chynghori eraill. Ymhlith y rhai sydd wedi elwa mae John, y mab. Er nad yw e'n fachan cyhoeddus, mae e'n un da am farnu ŵyn. Mae e'n gallu eu dethol nhw. Ac i'r clwb mae'r diolch am hynny.

Rhwng popeth, fe gawson ni un mlynedd ar ddeg llwyddiannus iawn. Fe gawson ni Gadeirydd Sir yn John Llwynbrain ac aml i aelod ar y pwyllgorau sir. Heddiw mae amryw o gyn-aelodau'r clwb yn flaenllaw mewn gweithgareddau lleol gan gadw bywyd a diwylliant y fro yn fyw. Un peth yr hoffwn i ei weld yn newid yw oedran ymuno a gorffen cystadlu'r aelodau. Mae ystod oedran cystadlu'r aelodaeth yn ymestyn, ar hyn o bryd, o dair ar ddeg i chwech ar hugain. Fe hoffwn i weld symud y pegynau oedran – cychwyn yn un ar bymtheg a gorffen yn ddeg ar hugain. Fe fyddai hyn yn cynnig ystod cystadlu mwy addas. Rwy'n teimlo bod tair ar ddeg yn gallu bod yn rhy ifanc, ac yn sicr mae chwech ar hugain yn rhy ifanc i orfod rhoi'r gorau i gystadlu.

Mae'r Ffermwyr Ifanc mewn aml i ardal wedi stampio'u ffordd o fyw ar y fro. Nhw bellach yw'r amddiffyniad olaf rhag i ni gael ein boddi gan y mewnlifiad. Dyma'r mur rhyngon ni a difancoll. Nhw, yn anad neb, yw amddiffynwyr y winllan rhag y moch. Nhw sy'n cadw'r ffynnon rhag y baw. Mae'r mudiad yn cyflawni llawer mwy na gwasanaethu byd amaeth. Mae'n cynnal ac yn amddiffyn yr iaith a'r pethe yng nghefn gwlad, nid drwy ymgyrchu, ond trwy fyw drwy'r iaith a'i siarad yn naturiol bob dydd. Ac mae'n warth nad y'n nhw'n cael mwy o gefnogaeth ariannol gan y Llywodraeth, boed honno yn Llunden neu yng Nghaerdydd.

Mae dylanwad y mudiad yng Nghymru yn mynd ymhell y tu hwnt i ffiniau gwlad. Meddyliwch am yr ymgyrch tuag at wella safon ac ehangu'r cyflenwad dŵr yn y Swdan. Yma, yr hyn wnaethon ni oedd cychwyn, ar fore dydd Sul cyn y Sioe Fawr, o Lanilar i Lanelwedd gan daflu welington, un yn taflu, yna un arall yn ei chodi a'i thaflu eto, a hynny'r holl ffordd i Lanelwedd. Fe wnaech chi synnu sawl welington ddefnyddion ni cyn cyrraedd pen y daith. Y daith wnaethon ni ei cherdded oedd ar hyd y dyffryn, i fyny'r hewl uchaf am New Row ac yna dros fynydd Cwmystwyth. Chawson ni ddim llawer o bobol yn y mannau diffaith ond o gyrraedd Rhaeadr Gwy roedd hi'n stori wahanol. Fe aeth tua deg ar hugain ohonon ni â bwcedi o gwmpas y dref yn annog pobol i fynd i'w pocedi. Fe wnaethon ni stopio ceir. Fe orffennon ni ar y nos Sul yn yr eisteddle fawr ar Faes y Sioe.

Ry'n ni'n lwcus iawn o ran lleoliad. Mae Llanilar yn ganolog iawn. Dyw pencadlys y mudiad ddim ond tuag awr i ffwrdd a pheth hawdd i ni yn ystod oes y clwb fydde mynd yno. Yn wir, mae Llanilar o fewn tua dwy awr i fannau pellennig Cymru, boed Gaerdydd neu Gaergybi. Yr hyn sy'n rhaid ei gofio yw bod yna bobol y tu ôl i'r aelodau, eu rhieni a'u teuluoedd, a fu'n gadarn eu cefnogaeth i ni. Rwy'n cofio talu teyrnged yn angladd un o'r cefnogwyr mwyaf, Mrs Davies, Brenar. Fe fuodd Sheila ac Arwyn, y plant, yn ffyddlon iawn, a Sheila wedi bod yn Frenhines y Sir. Felly hefyd Ann Ty'n Berllan, neu Ann Rhosgoch bryd hynny. Rwy'n cofio dod allan o'r eglwys yn Llanfihangel-y-Creuddyn ac edrych lawr gan weld llond y pentre a hanner llond y fynwent yn ein disgwyl ni.

Mae pethe fel'na'n glynu yn y cof, a braint fawr fu cael fy newis i fod yn Llywydd Cenedlaethol eleni am y drydedd flwyddyn yn olynol. Ym mis Medi, fe ges i'r fraint o fod yng nghinio dathlu 80 mlwyddiant y mudiad yng Nghymru yn Llannerch Aeron. Roedd dros 300 yn bresennol, a fi wnaeth ddarparu'r cig ar eu cyfer – cig eidion gorau Rob Rattray. Mae Rob yn gymwynaswr parod. Ym mlwyddyn Sioe'r Cardis yn 2010 fe baratodd gyflenwad o fyrgyrs i'w gwerthu, gyda'r elw at y Sioe, a'u galw'n Byrgyrs Mister Llywydd, gan mai fi oedd Llywydd y Sioe. Yr un flwyddyn roedd Ceredigion yn croesawu Prifwyl yr Urdd yn Llannerch Aeron ac fe gynhyrchodd Rob gyflenwadau o Sosejys Mistar Urdd ar gyfer y fenter.

Pan etholwyd fi gyntaf yn Llywydd y Ffermwyr Ifanc fe wnes i olynu Nigel Owens. Ar y pryd roedd Nigel allan yn Ne Affrica yn reffarî ar ryw gêm rygbi bwysig. Ond fe aeth i'r drafferth o anfon teligram i fi i Gaerdydd ar noson fy urddo, yn fy llongyfarch ac yn dymuno'n dda i fi. Mae'n werth nodi mai fi wnaeth gyflwyno Nigel gyntaf erioed mewn perfformiad ar *Noson Lawen* ar gyfer S4C, a hynny yng Nghonwy.

Dyw Clwb Llanilar ddim yn bod bellach, ond mae clybiau eraill yn ffynnu, clybiau fel Lledrod sydd ddim ond lawr y ffordd. A phwy a ŵyr na wna'r clwb lleol ailgodi. Synnwn i ddim. Mae pobol ifanc yn dueddol o fynd a dod fel rhyw donnau. Llanw a thrai yw hi. A gobeithio fod yna lanw arall ar y ffordd.

3

Canu'n iach

FYDDE NEB YN ddigon gwirion i'm cymharu i â Frank Sinatra. Ond un nos Sul, ddwy flynedd yn ôl mewn capel ym Machynlleth, roedd yna rywbeth yn gyffredin rhyngon ni. Cysylltir Frank, yn anad yr un gân arall, â 'My Way' lle mae'n sôn am wynebu cau'r llenni am y tro olaf. Ac yno, wrth arwain cyngerdd ym Machynlleth, y penderfynais innau ei bod hi'n amser cau'r llenni ar fy ngyrfa fel canwr. Penderfyniad sydyn oedd hwn, un anodd, ond un terfynol.

Erbyn hyn rwy wedi cefnu'n llwyr â'r llwyfan o ran perfformio fel unawdydd. Y mae amser i bopeth, medde'r Gair, ac fe ddaeth yr amser i fi ganu fy ffarwél cerddorol olaf. Amser canu'n iach. Fe gyfeirir at hyn yn Saesneg fel 'swansong'. Pam? Wel, roedd yna hen gredo bod alarch cyn marw, ar ôl creu synau digon hyll drwy ei fywyd, yn perfformio un gân swynol ar ei wely angau. Nid bod gen i unrhyw fwriad o farw'r noson honno. Teimlo wnes i y bydde hwn yn amser priodol i gymryd y cam terfynol. Y cam di-droi'n-ôl, hynny yw, dim rifyrs. Ro'n i wedi ystyried y peth am sbel ond yn gohirio'r penderfyniad byth a hefyd. Ond ar amrantiad fe ddaeth y penderfyniad, a hynny ar ganol arwain y cyngerdd hwnnw mewn capel ym Machynlleth.

Roedd hwn yn gyngerdd gan unawdwyr oedd wedi ennill y Rhuban Glas yn y Brifwyl. Roedd e'n chwip o gyngerdd. Yno ro'n i, yn gwrando wrth ochr y llwyfan ar y rhain yn canu. Arwain o'n i, gan ymuno mewn ambell ddeuawd a thriawd a dyma fi'n meddwl wrth fy hunan ei bod hi'n amser i fi roi'r gorau i'r canu yma. Mae yna hen ddywediad sy'n mynnu nad yw pethe drosodd nes i'r fenyw dew ganu. Doedd yno'r un fenyw dew ar y rhaglen, ond yn fy meddwl i fe ganodd hi yn sêt fawr y capel ym Machynlleth y noson honno.

Cofiwch, rwy'n dal i weld eisiau llwyfan eisteddfod a noson lawen. Ond rwy wedi ymddeol o unrhyw beth sy'n golygu canu. Mae canu'r un fath â bod yn athletwr neu'n bêl-droediwr neu'n chwaraewr rygbi. Os am gynnal y safon, mae'n rhaid i chi ymarfer, ac fe fyddwn i'n ymarfer llawer pan fyddwn i'n canu'n rheolaidd. Ymarfer gwaelod y llais wrth odro yn y bore, canol y llais ar ben tractor yn y prynhawn, ac wedyn ymarfer y nodau uchel gyda'r nos wrth olchi'r beudy ar ôl godro. Rhwng y tuniau llaeth wedi eu galfaneiddio a'r teils ar y welydd fe fydde yno eco da. Acwstig cyseiniol fydde'r ymadrodd technegol cywir, siŵr o fod. Ond fe benderfynais i ar y llwyfan ym Machynlleth y noson honno y gwnawn i gyhoeddi cyn diwedd y cyngerdd y byddwn i'n rhoi'r ffidil yn y to, ac o gyhoeddi hynny, glynu wrth y penderfyniad. Dim encôr.

Y rheswm pennaf dros y penderfyniad hwnnw ym Machynlleth i roi'r gorau i ganu oedd fod cartref fy athro cerdd cyntaf i, Ifan Maldwyn Jones, tua hanner canllath lawr y ffordd. Ac fe deimlais mai dyma'r amser a'r lle addas i wneud hynny. Ro'n i o fewn tafliad carreg i'r tŷ lle cychwynnais i ar yrfa ddiddorol a phleserus, y tŷ lle bues i'n dysgu canu a diddanu. Oni bai am Ifan Maldwyn, a Redvers Llewellyn, fy athro cyntaf ac yna Colin Jones, fydde 'na ddim sôn wedi bod amdana i. Dylwn nodi i gyfraniad Ifan Maldwyn fod yn wahanol i gyfraniad y ddau athro arall. Athrawon lleisiol oedd Redvers a Colin yn bennaf. Cyfraniad mawr Ifan Maldwyn fu fy nysgu i ddehongli geiriau cân ac yna trosglwyddo'r dehongliad hwnnw i'r gynulleidfa. Yn aml fe fyddwn i'n canu geiriau cerddi gan feirdd, wedi eu gosod ar gerddoriaeth, ac fe fydde Ifan Maldwyn yn pwysleisio'r angen i ddehongli'r cerddi hynny'n gywir. Roedden nhw'n farddoniaeth, a rhaid parchu'r ffaith honno.

Roedd y penderfyniad i roi'r gorau i ganu yn un digon anodd ynddo'i hun. Ond rwy'n falch iddo ddod yn sydyn. Fuodd dim rhaid i fi fynd drwy rhyw wewyr meddwl. Penderfyniad sydyn. 'Digwyddodd, darfu, megis seren wib' fel llwynog Williams Parry. Ond y peth mwyaf anodd fu gorfod dweud 'na' wedyn wrth bobol oedd am i fi berfformio yn eu hardal nhw. Ac wrth gwrs, o gytuno i fynd at un, rhaid fydde mynd at bawb. Felly fe wnes i ddod i ffwl stop. Neu, os mynnwch chi, fe ddaeth y ffŵl i stop!

Mae llais rhai'n datblygu'n hwyr. Fe waeth fy llais i ddatblygu'n gynnar iawn. Fe wnes i ennill y Rhuban Glas yn chwech ar hugain oed. Ar ben hynny mae traddodiad o ganu yn y teulu. Roedd fy nhad-cu'n denor da. Fe wnaeth e dderbyn hyfforddiant gan Walford Davies. Roedd 'Nhad yn fariton reit dda. Ond fy nghymhelliad i dros ganu oedd y ffaith ei fod e'n fodd o gysylltu â phobol. Dull o gyfathrebu. Dwi'n leicio pobol. Waeth gen i petai trigain mil o bobol o 'mlaen i. Fe fydde yna densiwn, bydde, ond cymharwch hynny â rhedeg cŵn defaid – diléit mawr arall i fi. Petai dim ond tri pherson yn sefyll y tu ôl i fi wrth i fi redeg ci, fe wnawn i grynu fel jeli.

Cystal i fi gyfaddef, dwi ddim yn gerddor. Canwr, ie, ond ddim yn gerddor. Mae yna wahaniaeth. Yn un peth, dwi ddim yn darllen cerddoriaeth, ond yn ffodus iawn mae gen i glust dda. O glywed rhywbeth unwaith wna i mo'i anghofio. Fe fydd e gen i. Yr hyn fyddwn i'n arfer ei wneud fydde prynu recordiau ac yna gwrando arnyn nhw a chofio. Yna, er mwyn gloywi'r perfformiad, gwrando arnyn nhw drosodd a throsodd nes eu bod nhw mor sicr ar fy nghof i â Gweddi'r Arglwydd.

Rwy wedi sôn o'r blaen am y cynnig ges i, yn dilyn llwyddiant Llangollen yn 1970, i fynd i'r Eidal i dderbyn hyfforddiant. Fe ddaeth tri dyn yma i Berthlwyd, a finne ar y tractor yn aredig tir glas ar gyfer hau rêp. Dyna ble ro'n i ar y tractor glas, hwnnw heb gaban a finne wedi bod yn darged i haid o wylanod oedd yn bomio oddi fry. Fe wnes i fynd â'r dieithriad i'r tŷ am baned, ond gwrthod mynd i'r Eidal wnes i. Doedd dim angen pendroni dros y penderfyniad. Ffermwr oeddwn i, ffermwr ydw i, a ffermwr fydda i. Wna i ddim gadael cefn gwlad tra bod yna anadl ynof fi.

Oedd, roedd byd yr opera'n cymell. Fe fues i'n aelod o Gwmni Opera Aberystwyth. Rwy'n cofio chwarae rhan Filch yn *The Beggar's Opera*. Ar hanner yr ymarfer olaf, a finne yn nillad carpiog y cymeriad, a cholur fel grefi browning dros fy wyneb, fe gymerais i doriad heb ddweud wrth neb, i fynd adre i odro. Wrth i fi gyrraedd Llanilar roedd y ffyddloniaid ar eu ffordd i'r capel. Fe glywais i wedyn fod pobol yn holi ei gilydd pwy oedd y dyn rhyfedd oedd wedi mynd heibio'n gyrru car Dai Berthlwyd? Pan wnes i fynd ati i alw'r gwartheg fe gawson nhw ofn marwol a dianc i gyfeiriad arall. Ro'n nhw siŵr o fod yn meddwl mai bwgan brain symudol o'n i. Yn wir, roedd hyd yn oed y cŵn yn amheus ohona i.

Wrth gwrs, mae rhywun yn gwneud ambell i beth yn gyhoeddus nad yw'n golygu gorfod canu. Un peth y bu galw arna i i'w gyflawni, ym myd y cŵn defaid yn arbennig, fu cais am i fi dalu teyrnged mewn angladd rhai o'r rhedwyr oedd yn gewri'r gamp. Fe fydda i'n edrych ar ddyletswydd o'r fath fel un aruchel a pharchus. Meirion Jones, Pwllglas oedd y cyntaf. Dewin y cŵn defaid. Dyn y Pethe. Mae'i fab yn dal i fyw ym Mhencoed. Wedi i fi ddod o'r sêt fawr ar ôl cyflwyno'r deyrnged fe ges i deyrnged fy hun gan Idris Bancllyn:

'Bachgen,' medde Idris, 'oet ti gystal â Phillip Jones, Porthcawl!'

Unwaith eto, wrth dalu teyrnged i rywun, o'r galon fydd hi'n dod, nid o ddarn o bapur. Fedrwch chi ddim rhoi teyrnged i rywun os nad y'ch chi wedi nabod y person hwnnw neu honno'n dda. Mae achlysuron fel hyn wedi dod yn llawer rhy aml yn ystod y blynyddoedd diwethaf hyn ac wrth gwrs, mae'r rhain yn achlysuron na fedra i, tra bydd anadl yn fy ffroenau, ddweud 'na' wrthyn nhw.

Yr achlysur mwyaf anodd i fi erioed fu cynnig geiriau o deyrnged i ferch i gymydog i fi fan hyn, Gwenno Tudor. Fe'i claddwyd hi ar ddiwrnod ei phen-blwydd yn 19 oed a Chapel Llanilar yn orlawn. Roedd hwnnw'n brofiad dirdynnol, teimlo bod rhyw gwmwl rhyngof fi a'r Goruchaf. Ond mae profiad fel hwnnw'n dod â rhyw fath o dawelwch meddwl i rywun yng nghanol y tristwch. Nid pleser, ond rhyw fath o ryddhad. Yn un peth mae hi'n fraint pan fo teulu'n gofyn i chi gyflawni'r gorchwyl. Mae yna adnod, ac yn wir hen ddihareb, sy'n mynnu y bydd popeth, yn y pen draw, yn mynd heibio, hynny yw, dros dro y bydd popeth. Fe allwch chi edrych ar hynna mewn dwy ffordd. Fe all olygu bod popeth da yn dod i ben rywbryd, fel y canu yn fy achos i. Ond fe all olygu hefyd y daw pob galar i ben rywbryd, er mor anodd yw derbyn hynny ar y pryd.

Rhyw ddiolch fydda i am y fraint o fod wedi cael rhyw fath o dalent ar gyfer perfformio ar lwyfan. Mae hynny'n dod â phleser i fi'n bersonol ac, yn bwysicach fyth, i eraill. Ie, fel y dywedai Syr Wynff ap Concord, 'Diolch, diolch yw fy nghân'. Neu'n hytrach, diolch, diolch *oedd* fy nghân yw hi bellach.

Mae'n rhoi mwy o bleser na dim i fi mai ar lwyfan eisteddfod ac ar faes sioe y deilliodd yr hyn o lwyddiant a ddaeth i'm rhan i. Gan mai drwy fy ymdrechion fy hunan y daeth llwyddiannau heb unrhyw ffafrau na manteision teuluol, all neb fy nghyhuddo i o lwyddo drwy gysylltiadau dylanwadol. Rwy'n teimlo o'r herwydd fod gen i hawl i ddiddanu a diddori pobol. Yn eisteddfodau'r Ffermwyr Ifanc y daeth y llwyddiannau cyntaf. Y rheiny ac Eisteddfod Ty'n-y-graig. Yn honno wnes i ennill fy nghwpan cyntaf. Lle bach yw Ty'n-y-graig, ger Ystrad Meurig, pentref o ddwsin o dai a chapel, sef Capel Caradog. Fe wnewch yrru drwyddo heb sylweddoli bron ei fod yno o gwbwl, ar y ffordd rhwng Aberystwyth a Phontrhydfendigaid. Ie, cychwyn ar lwyfannau capeli, festrïoedd a neuaddau bach o flaen ychydig ddwsinau wnes i. Ac yna cael fy hunan, flynyddoedd wedyn, ar lwyfan Madison Square Garden yn Manhattan, Efrog Newydd gyda Chôr y Rhos o flaen y miloedd.

Mae Madison Square Garden ei hun yn lle chwedlonol. Cynhelir pob math o ddigwyddiadau yno, yn chwaraeon a chyngherddau. Fe ymladdodd Joe Louis yno droeon. Fe ganodd Elvis yno. Yno hefyd y bu cyngerdd olaf John Lennon cyn iddo gael ei lofruddio yn 1974. Ac i feddwl bod boi bach o Langwrddon wedi ymddangos yn yr un lle â'r sêr hynny.

Fe fues i'n canu gyda Chôr Pendyrus hefyd yn Efrog Newydd, a'r lle'n orlawn. Yn dilyn yr hanner cyntaf roedd yna baned i bawb ac fe ddaeth rhai o aelodau'r gynulleidfa i mewn am sgwrs. Roedd un yn fawr ei ganmoliaeth ac yn methu â chredu mai dim ond un ddoler gostiodd ei docyn. Ar gyfer yr ail hanner fe alwodd yr arweinydd chwedlonol hwnnw, Glynne

Jones, bawb ohonon ni i'r llwyfan, yn aelodau'r côr, yn unawdwyr ac yn adroddwyr, a dyma araith fawr ganddo, gan sôn ei fod yn gobeithio i'r gynulleidfa gael gwerth eu un ddoler. Fe alwodd arnon ni i gydganu anthemau cenedlaethol America a Chymru. A dyna fu cynnwys yr ail hanner.

Profiad rhyfedd i rywun oedd wedi ei fagu yn nhawelwch y Mynydd Bach oedd mynd i'r gwely a chlywed seirens yn canu drwy'r nos, a heb ddihuno fore trannoeth i ganu ceiliog. Pan fyddwch chi'n sefyll yn eich stafell wely mewn gwesty crand, wedi'ch gwisgo fel twrci ar gyfer sêl ffowls, mae rhywun yn ei chael hi'n anodd credu nad breuddwyd yw'r cyfan. Rwy'n gorfod pinsio fy hun weithiau gan ofyn, fel yr emynydd o Bantycelyn, 'Dwed i mi ai fi oedd hwnnw?'. Yn aml fe fydda i'n credu mai breuddwyd fu'r cyfan ac y gwna i ddihuno toc. Ond wna i fyth anghofio'r dyddiau cynnar, fel mynd i Eisteddfod Ty'n-y-graig a sefyll yn y lobi yn sipian paned ac aros fy nhro i fynd i ganu i'r sêt fawr. Hyd yn oed yn y llefydd mawr crand mae'r pethe yma'n dal yng nghefn y meddwl, a hyd yn oed ar lwyfan ysblennydd Madison Square Garden, 'nôl yn sêt fawr Capel Caradog yn Nhy'n-y-graig oeddwn i.

Rwy'n cofio bod yng Nghwrdd Bach Tabor a John Bryngalem, sef John Jones Bwlch-llan, yn beirniadu'r cerdd a Mair Meiarth yn beirniadu'r adrodd. Ar ôl bod yno fe ges i wahoddiad gyda nhw i fynd draw i'w Cwrdd Bach nhw ym Mwlch-llan. Mynd 'nôl wedyn gyda Mair a Dai i'r siop i gael te. Rwy wedi bod mewn partïon gardd ym Mhalas Buckingham, ond doedden nhw ddim tebyg i'r te gawn i gan Mair ar ôl Cwrdd Bach Bwlch-llan. Ac yn sicr doedd y gymdeithas yn y partïon gardd ddim yn yr un cae.

Mae cantorion yn medru ennill arian mawr am berfformio ond wnâi gwobrau ariannol ddim dod yn agos at werth y ganmoliaeth gan feirniad canu mewn cwrdd bach neu eisteddfod. Roedd dyn yn gwerthfawrogi ac yn trysori'r hyn gâi ei ddweud ac yn ymhyfrydu os deuai geiriau o ganmoliaeth.

Roedd yr eisteddfodau lleol a'r cyrddau cystadlu'n hwyl yn y dyddiau hynny, a rhyw ddigwyddiad cofiadwy yn deillio o bob un. Roedd un cymeriad o'r ardal oedd yn enwog am brynu unrhyw beth a phopeth, sef Bowker. Prynu a gwerthu oedd ei fyd. Yn Eisteddfod Lledrod un tro roedd Rhiannon Caffrey yn adrodd y darn hwnnw am werthu'r caethweision. Dyma hi'n mynd ymlaen i ofyn a gymerai'r Methodistiaid nhw? Na. Beth am yr Annibynwyr? Na. Y Bedyddwyr? Na. Ac ymlaen â hi, a'r ateb yn 'Na' bob tro. A dyma rywun yn gweiddi o'r cefn,

'Diawch, treia Bowker! Fe brynith hwnnw unrhyw beth!'

Y cyngherddau bach Nadolig wedyn. Fe alla i gofio cael gwahoddiad i fynd i ganu i'r 'Christmas Tree' yn Nhrisant. Perfformio am ddim, wrth gwrs, gyda Bili ac Edwina Morris y Siop, y ddau wedi'n gadael ni erbyn hyn. Carol Pont-rhyd-y-groes wedyn ac Alun Jenkins. Tua hanner dwsin ohonon ni'n canu a chael cynnig cildwrn am y petrol. Fedren ni ddim peidio â chlywed y trafodaethau, er mai sibrwd wrth ei gilydd fydde'r trefnyddion:

'Well i ni roi rhwbeth iddyn nhw...'

'Ond ma nhw wedi gweud nad y'n nhw'n moyn dim byd...'

'Allwn ni ddim eu gadael nhw fynd adre heb ddim...'

'Na allwn, fydde'n gas i ni beido cynnig, o leia...'

A Jim Powell, ar ôl trafodaeth hir, yn dod draw: 'Diolch yn fawr. Ry'n ni wedi gwerthfawrogi'ch perfformiadau chi. Ry'n ni wedi penderfynu rhoi rhywbeth i chi. Cymrwch, dyma wheugen i chi. Rhannwch e rhyngoch chi.'

Doedd yr arian, wrth gwrs, ddim yn bwysig. Fe fyddwn i'n dilyn yr eisteddfodau – Trisant a Phont-rhyd-y-groes. Eisteddfod Ysbyty Ystwyth wedyn. Heddiw mae capel Pont-rhyd-y-groes yn fflatiau a chapel Ysbyty Ystwyth wedi'i ddymchwel a thŷ wedi'i godi yn ei le. Ac mae capel Trisant wedi'i hen gau a rhywun yn ceisio'i addasu'n dŷ annedd. Ond mae'r gwaddol a'r traddodiad yn parhau mewn artistiaid fel y soprano Rhian Lois, sydd yn argoeli i fod yn un o gantoresau gorau'r byd. Yn wir, mae yna nythaid o gantorion yn y fro. Robin Lyn wedyn, enillydd y Rhuban Glas agored a than 25. Yn wir, mae teulu Robin i gyd yn gerddorol.

Mae pobol fel hyn wedi tarddu o unigeddau gwledig ledled Cymru. Mewn ardaloedd fel hynny, lle mae yna draddodiad cerddorol, fe gaech chi dri neu bedwar o gorau, a'r rheiny'n werth eu clywed, ac mae ardal Pont-rhyd-y-groes yn enghraifft dda. Fe fu gan Jim Powell gôr am flynyddoedd. Mae Delyth Hopkins Evans, mam

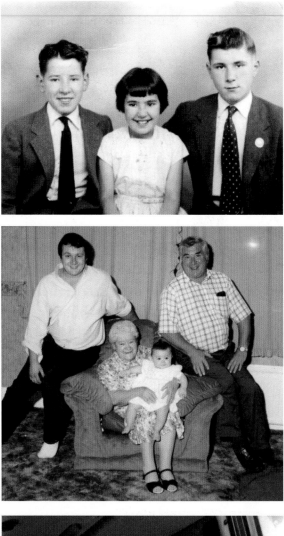

Fi ar y dde, gyda Glenys, fy chwaer, a Trefor, fy mrawd.

Olwen yn ffermwraig ifanc – llun a dynnwyd wedi iddi ennill Gwobr Dug Caeredin.

Pedair cenhedlaeth – John a fi, ynghyd â Mam a Celine.

John, y mab, gydag Ella ar y tractor.

Ella, gydag un o'i hoff anifeiliaid, Rob y ci.

Y ddwy chwaer,
Ella a Celine.

Ella (cefn) gyda'i
brawd a'i chwaer,
Aaron a Leila.

Y criw fydd yn mynd
ar wyliau gyda'i
gilydd yn flynyddol
– Carys, Gwen, Ifan,
Mari, Charles, Huw,
fi ac Olwen mewn
cwch ar y Norfolk
Broads.

Yn ddyn sengl yn gwisgo'n smart er mwyn ceisio rhwydo Olwen.

Sylwch ar y ffordd dwi wedi posio!

Jen a fi yn nyddiau
Siôn a Siân.

Rhwng Janice Ball a Rosalind ar set *Siôn a Siân*. Yn ystod fy nghyfnod ar y gyfres fe gyfeiliodd Janice ar gyfer 700 o ganeuon.

Rhaglen Nos Galan yng nghwmni Hywel Gwynfryn. Yn briodol iawn fe wnes i ganu 'Donald, Where's Your Trousers?' gyda band Jimmy Shand.

Eric Jones a finne ar ben Bwlch y Moch, fy mhrofiad cyntaf o abseilio.

Ar y Piste gyda Wil yr Hafod, neu Herr Wil fel y'i hadnabyddid gan y brodorion.

Y criw cyfan ar gyfer ffilmio *Ar y Piste*.

Gyda Now o Hogia Llandegái yn casglu grawnwin.

Gyda'r hen gyfaill, Trebor Gwanas, ar gyfer ffilmio *Cefn Gwlad*.

Joni Moch, testun un o raglenni mwyaf poblogaidd *Cefn Gwlad*.

William Cae'r Berllan yn fy hyfforddi, gyda chymorth y gwas, i drin ceffyl.

Llyfrgell Canolog
Central Library Hub

Enw Cwsmer:
 DAVIES, Geraint (Mr)
ID Cwsmer: ***1796

Eitemau rydych wedi'u hallgofnodi

Teitl: Tra Bo Dai
ID: 02419775
Dyledus: 31 Gorffennaf 2017

Cyfanswm eitemau: 1
Balans y cyfrif: £0.00
10/07/2017 14.30
Allgofnodwyd: 1
Hwyr: 0
Ceisiadau i roi ar gadw: 0
Yn barod i'w gasglu: 0

Diolch i chi am ddefnyddio'r 3M™
SelfCheck System.

Gyda Wil Llannor yn Ffair Geffylau Ballinasloe yn Iwerddon.

Mewn cwrwgl ac mewn arswyd ar wyneb y dŵr.

Gyda Wyn Gruffydd, un o'm cyd-gyflwynwyr yn y Sioe Fawr.

Mwynhau seibiant yn hedd y mynyddoedd ar ganol y ffilmio.

Criw ffilmio cyfresi cynnar *Cefn Gwlad*.

Y criw yn mwynhau ymweliad â Dingle yng ngorllewin Iwerddon.

Ffilmio rhaglen ar y pencampwr Enduro, David Jones o Lanidloes.

Don Garreg Ddu wrth ei fodd yn gwylio'r reslo.

Ernest Naish a finne yn ffilmio ar gyfer y rhaglen *Away with Dai*. Ernest oedd tad y cerddor Bronwen Naish.

Yr annwyl ddiweddar Richard Tŷ'n Bryn ger Llanegryn.

Gyda phâr o geffylau
gwedd Wil Llys,
Penisa'r Waun.

Gyda Rhisiart ap Rhys
Owen o Lanymynech,
un o brif filfeddygon
Ewrop.

Marchogaeth gyda Daff, y bugail, ar y Mynydd Du.

Ffilmio yng nghanol hyfrydwch Hafod y Llan.

Y cyfaill annwyl, Don Garreg Ddu, gyda'i hen gaseg, Bess.

Cyfle i drafod gwaith y dydd gyda John, y mab.

Jones, Llanbedrog, Tom Gwanas, Tom Bryniog, Trebor Gwanas, Margaret Lewis Jones, Ifan ac Ifor Lloyd, Berwyn Davies, Felin-fach, Washington James, Cenarth. Sopranos a chontraltos wedyn fel Margaret Williams, wrth gwrs, Jean Evans, Pontarddulais, a Glenys Dowdle. Eu henwau'n perarogli sydd.

Roedd llawer o'r bechgyn hyn yn ffermwyr fel fi yn eu gwaith bob dydd, allan yn yr awyr iach. Byw gydag arferion fel porthi anifail. Mae ffermio'n waith breintiedig. Mae yna genhadaeth. R'ych chi'n ceisio gwella cyflwr eich stoc. Gwella ansawdd eich porfeydd. Gwella'ch terfynau. Gwella'ch bywyd eich hunan. A chynnal yr olyniaeth. Mae parhad y ffarm deuluol yn bwysig. Nid rhamantu oedd Geraint Bowen pan ganodd ei 'Awdl Foliant i'r Amaethwr':

Ac ef yw'r neb o'i febyd – fu'n gymar
  I'r ddaear werdd ddiwyd,
  Y gŵr a arddo'r gweryd,
  A heuo faes, gwyn ei fyd.

Mae pwyslais mawr heddiw ar bwysigrwydd amgylcheddol. Mae'n cyn-deidiau ni wedi gofalu am safon a phrydferthwch y tirwedd erioed heb na thâl na gorfodaeth. Ond mae yna ddynion yn dod gyda'u bagiau brîff a'u llyfrau nodiadau ac, wrth gwrs, eu cyfrifiaduron pitw i nodi hyn a nodi arall. Pa synnwyr sydd yn hynna? Chewch chi ddim timau pêl-droed a rygbi da yng Nghymru o'u hyfforddi gan weision sifil. A fedrwch chi ddim cael diwydiant yn cael ei redeg gan rywun sydd heb ddim profiad o fyd busnes. Rhaid ymgyfarwyddo â bod yn y trasus cyn mynd rhwng cyrn yr og.

Mae perfformio wedi agor drysau i fi. Cael bod ar lwyfan. Cael teithio'r byd. Un peth sy'n plesio pobol yw eich bod chi, wrth ganu, yn canu caneuon eich gwlad eich hunan. Ond hefyd yn canu ambell gân sy'n perthyn i'r wlad lle byddwch chi'n perfformio. Mae'r Cymry, yn fwy na'r Saeson, â mantais yn hynny o beth. Fe all y Cymry ganu caneuon Eidaleg neu Sbaeneg am ein bod ni'n siarad iaith ffonetig. Cofiwch, rwy wedi cael trafferth canu yn Ffrangeg. Fy eitha i oedd 'Plaisir d'Amour'. Mae e'n deimlad rhyfedd bod adre ar y ffarm ac weithiau'n cwympo i'r tail a dod allan yn drewi fel corwg, a meddwl, sdim ots, fe fydda i'n canu yn Efrog Newydd yr amser 'ma wythnos nesa. Ie, o'r dom i'r Dome!

Yna dod adre i gyflwyno *Ar Eich Cais* ar y radio ar nos Sul ac ymateb i lythyron. A dyma beth sy'n sodro rhywun weithiau yn ei sedd, yn aml oherwydd y ffordd maen nhw'n cael eu hysgrifennu. Dyma i fi fy hoff raglen oherwydd fe fydda i'n cael dymuniadau pobol, teimladau pobol. Mae cyflwyno recordiau i wahanol lythyrwyr fel rhyw sgwrs fach rhyngof i a nhw. Pleser pur fydd cerdded yma ac acw ym marchnad y Trallwng ambell fore dydd Llun a chlywed y sylwadau.

'Ew, Dai, roedd hwn-a-hwn yn canu'n dda neithiwr gyda ti! A'r hyn ddeudest ti. Ew, diddorol!'

Mae sylweddoli bod rhai o'r pethe rwy'n eu dweud yn troi'n destun sgwrs yn dod â hapusrwydd, yn wir yn rhoi gwefr i rywun. A'r llythyron sy'n cyrraedd ar gorn y rhaglen wedyn. Dyna i chi un wnes i ei dderbyn yn ddiweddar oddi wrth hynafgwr oedd wedi colli'i wraig. Ei neges oedd iddo deimlo braidd yn isel ar Sul y Blodau ac yn gofyn am rywbeth a wnâi godi ei galon. Pan mae rhywun yn ymateb i gais fel yna mae'n creu rhyw deimlad, nid yn unig o blesio'r un sy'n gofyn ffafr, ond eich bod chi hefyd yn cyfoethogi eich bywyd eich hunan.

Fe ddaw llythyr wedyn, falle, oddi wrth hogen fach wyth neu naw oed sy'n gofyn am gais i Anti Bet, ddwedwn ni, ar ben-blwydd arbennig, wedi cyrraedd y cant, hwyrach. Fe fydda i'n meddwl yn aml beth ydw i wedi'i wneud i haeddu'r fath fraint o gael gwasanaethu pobol yn y fath fodd? Ac ydy, mae hi'n fraint, ac un y bydda i'n diolch amdani byth a hefyd. Rwy'n teimlo fy mod i'n cael llenwi bwlch ym mywyd pobol, yn llenwi unigrwydd pobol, rhai ohonyn nhw'n byw ar eu pen eu hunain falle, ac yn teimlo'n unig. Yn aml, fi gaiff ddewis record ar gyfer y rhai sy'n anfon eu ceisiadau i mewn ac mae hynny'n medru dod â phleser mawr i fi yn ogystal ag iddyn nhw. Weithiau fe wna i ddewis cân gan rywrai rwy wedi rhannu llwyfan â nhw ac yn eu nabod nhw'n iawn.

Mae'n drist fod y BBC wedi colli cymaint o dapiau o rai o'n hen gantorion, a'n hen gorau. Mae yna brinder mawr o ganeuon gan gorau cymysg. Corau hanesyddol wedyn fel Côr y Rhos, â'u cantorion nhw'n crynhoi at ei gilydd fel grawnwin ar winwydden. Mae'n rhyfeddod gen i mai mewn ardaloedd difreintiedig yn aml iawn y gwnaeth y talentau hyn ymddangos. Yr ardaloedd glofaol, er enghraifft. I bobol yr ardaloedd hynny roedd canu'n fath o ddihangfa o'u caledi, mor bwysig ac mor naturiol â chadw colomennod a milgwn a gwylio rygbi. Erbyn hyn, gyda chau'r pyllau, fe gollwyd nid yn unig y diwydiant a fu'n clymu'r ardaloedd hyn wrth ei gilydd, ond collwyd hefyd y diwylliant a oedd yn rhan annatod o fywyd y broydd. Ar un olwg, wrth gwrs, fe fu rhoi diwedd ar ddynion yn gorfod cloddio fel gwahaddod dan ddaear am eu cynhaliaeth yn fendith. Ond fe gollwyd rhywbeth mawr. Collwyd ffordd o fyw. Collwyd ffordd o fwynhau. Collwyd cymdeithas.

Beth bynnag, dyna gau'r llenni ar ganu, gweithgaredd a wnaeth olygu cymaint i fi dros y blynyddoedd. Yn wir, bu'n fwy na gweithgaredd, bu'n bleser. Ac wrth edrych yn ôl fe fedra i ddweud, fel Sinatra, i fi fyw bywyd llawn. Fe wnes innau deithio pob ffordd a phriffordd a sefyll yn dalog, gan i fi wneud y cyfan fy ffordd fy hunan. Do, fe wnes i hynny, boed y ffordd wnes i ei chymryd yn un union neu'n un droellog.

4

Anrhydeddau

DROS Y BLYNYDDOEDD fe ddaeth anrhydeddau yn fân
ac yn fynych, amryw yn ystod y blynyddoedd diweddar
hyn. Ac wrth restru'r anrhydeddau hynny nid brolio ydw
i ond yn hytrach diolch am y fraint. Methu â chredu
bod crwt cyffredin o gefn gwlad Sir Aberteifi wedi cael
y fath freintiau.

Gadewch i ni fynd yn ôl rai degawdau ac i
gystadleuaeth Rhuban Glas Llangollen yn 1970. Fis
yn ddiweddarach fe enillais Ruban Glas y Brifwyl yn
Rhydaman. Dyna uchafbwyntiau fy ngyrfa fel canwr.
Fe agorodd yr eisteddfodau, bach a mawr, ddrysau i fi.
Wna i ddim mynd ar eu trywydd eto gan i fi fanylu ar
hynny ugain mlynedd yn ôl yn *Fi Dai Sy' 'Ma* ac, yn fras,
yn y bennod flaenorol.

Ond does yna ddim byd tebyg i lwyfan eisteddfod os
ydych chi am ddod wyneb yn wyneb â'r bobol. Does neb
mor graff â chynulleidfa eisteddfod. Fe fu yna adeg pan
fydde heclan o'r gynulleidfa yn rhywbeth i'w ddisgwyl,
yn enwedig ar ôl stop tap. Roedd Bois y Bont yn enwog
am hynny, a'r cymeriad hwnnw fydde'n eu gyrru nhw
o gwmpas yr eisteddfodau, Dic Bach, fydde'r arch-
heclwr. Fe drodd Dic yr arferiad o heclan yn grefft. Ond

os gwnâi Dic a Bois y Bont eich derbyn chi, fe wyddech eich bod chi wedi cyrraedd. Ac fe dderbyniwyd fi o'r cychwyn cyntaf.

Mae perfformio mewn eisteddfod yn gyfle da hefyd i chi ddod wyneb yn wyneb â chi'ch hunan. 'Dod i wybod eich seis', fel y byddwn ni'n ei ddweud yn yr ardal hon. Wedi'r cyfan, os na fedrwch chi adnabod eich hunan, wnewch chi ddim llwyddo i adnabod neb arall. Mae yna hen ddihareb sy'n dweud fod y neb a all adnabod eraill yn ddoeth, ond fod yr un a all adnabod ei hun yn oleuedig.

Y Sioe Frenhinol wedyn. Rwy wedi bod yn sylwebu ers blynyddoedd bellach. Fe ddaeth y cyfle hwnnw gydag ymddeoliad Llewelyn Phillips, a Llew fu'n gyfrifol am i fi gael y cyfle. Roedd sylwebaeth Gymraeg yn hollbwysig i Llew, a hwnnw'n Gymraeg gloyw ac mewn arddull y bydde pawb yn gartrefol o'i chlywed. Nid rhywbeth ymylol fydde'n cael ei gwthio i'r cyrion oedd yr iaith i Llew. Nid rhywbeth cosmetig, arwynebol. Rhaid oedd ei gorseddu yn y Prif Gylch. Yn ddiweddarach fe benodwyd Charles Arch, hen gyfaill agos, yn brif sylwebydd Cymraeg y Sioe. Fe wnes i weithio gyda Charles am flynyddoedd, gan fwynhau pob munud.

Fel rhan o'r arlwy, fe fyddwn i'n cyflwyno rhaglen deledu awr o hyd fel arweiniad i'r Sioe. Wedyn, yn y Sioe ei hun, yn rhannu'r sylwebaeth gyda phobol fel Wyn Gruffydd a Tweli Griffiths, ac unwaith eto yn cael mwynhad pur.

Y newid mwyaf fu dyfodiad y rhaglenni byw a chael bod yng nghanol y rheiny wedyn. Ac mae'n amhosib credu bod llygaid y byd arnon ni bellach. Fe fedra i gerdded ar hyd Princes Street yng Nghaeredin, neu grwydro ar hyd Grafton Street yn Nulyn a chael fy nghyfarch wrth fy enw, ac mae hynny'n rhoi rhyw bleser mawr i rywun. Un peth a wnaeth y teledu yw gwneud y byd yn llai a dod â phobol yn nes at ei gilydd. Mae S4C, fel y cwrw hwnnw, yn llwyddo i gyrraedd y mannau hynny na fedr sianeli eraill mo'u cyrraedd!

Fe ddaeth anrhydeddau lu yn gysylltiedig â'r Sioe. Fe wnes i dderbyn Gwobr Goffa Syr Bryner Jones am wasanaeth i'r Sioe, rhywbeth sydd, i fi, yn gyfystyr ag ennill y Rhuban Glas am ganu. Mae'r wobr yn cael ei dyfarnu'n flynyddol i bobol sydd wedi gwneud cyfraniad i amaethyddiaeth, o godi adeiladau amaethyddol i dyfu tir glas neu fagu stoc. Ac yn fy achos i, am ddod â'r Sioe i sylw cynulleidfa fyd-eang. Mae Rhubanau Glas Eisteddfod Llangollen a'r Brifwyl yn 1970 felly yn siario silff yn y cwpwrdd gwydr â'r hyn sy'n cyfateb i Ruban Glas y Sioe Fawr, sef Gwobr Goffa Syr Bryner Jones am gyfraniad i'r diwydiant amaeth yng Nghymru.

Fe ddaeth yr MBE yn gydnabyddiaeth am fy nghyfraniad i amaethyddiaeth, ac fe hoffwn feddwl bod fy nghysylltiad â'r Sioe yn rhan bwysig o hynny. Yn 2010, Sir Aberteifi oedd yn noddi'r Sioe Frenhinol. Sioe Ceredigion oedd hi, neu Sioe'r Cardis. Mae yna bwyslais mawr heddiw ar yr hyn a elwir yn frandio, sef hybu rhywbeth drwy roi iddo enw a delwedd addas, ac fe gydiodd y disgrifiad 'Sioe'r Cardis'. Y patrwm yw, wrth gwrs, fod pob sir yn ei thro yn noddi'r Sioe ac yn cael dwy flynedd i godi arian. Mae e'r un patrwm

â'r Eisteddfod Genedlaethol, ond mai broydd neu
ardaloedd sy'n noddi honno, a'r Brifwyl, wrth gwrs, yn
symudol. Fe ges i syniad o lunio rhaglen ar y siroedd
fydde'n noddi yn eu tro ac fe wnaeth Cenwyn Edwards
yn S4C dderbyn y syniad. Fe roddodd hyn gyfle i ni
bortreadu pob sir, ei nodweddion, ei ffordd o amaethu,
hynny yw, cymeriad pob sir yn ei thro. Mae'r rhaglenni
hynny oll bellach ar gof a chadw.

Pan ddaeth tro Ceredigion yn 2010, fi gafodd fy newis
yn Llywydd. Dyna un o'r breintiau mwyaf i ddigwydd
i fi erioed. Dyma'r anrhydedd pennaf o ran y byd
amaeth. Fe wnes i fynd ati gyda chriw diwyd i drefnu
gweithgareddau ledled y sir. Fel rhan o'r ymgyrch codi
arian fe gynhaliwyd nifer o arwerthiannau, a fi oedd yr
arwerthwr mewn llawer ohonyn nhw. Bu'r ymateb yn
anhygoel. Rwy'n cofio gwerthu potel o wisgi am £500,
a ffon fugail wedyn yn mynd am tua'r un pris. Nod y
gweithgareddau hyn oedd tynnu sylw at y digwyddiad,
dathlu'r digwyddiad a chodi arian. Daeth nifer o
nosweithiau codi arian â rhwng £10,000 a £12,000 yr
un i mewn. A meddyliwch y syniad o werthu gwahanol
ddillad a nwyddau yn cario'r slogan 'Sioe'r Cardis
2010'. Drwy werthu'r rheiny codwyd dros £47,000.
Mae aml i sir wedi codi cyfanswm o dros £200,000
ond fe wnaethon ni godi dros £450,000. Pwy all honni
fod y Cardi'n dynn? Nid yr arian yw popeth, o bell
ffordd. Cyfraniad ymarferol pobl i'r Sioe yw'r elfen
bwysicaf. Y Sioe yw ein haelwyd gymdeithasol. Does
yna ddim un sioe yn y byd sy'n denu cymaint o bobol
dros bedwar diwrnod. Mae'r miloedd sy'n tyrru yno fel

un teulu mawr, a thrwy'r cyfan, mae'r ddwy iaith yn cydgerdded.

I nodi Sioe'r Cardis fe wnaeth *Cefn Gwlad* ffilmio rhaglen arbennig yn para awr i adlewyrchu rhai o'r gweithgareddau a nifer o'r cystadleuwyr brwdfrydig oedd yn y sir. Ymhlith y bridwyr a'r dangoswyr mwyaf llwyddiannus roedd teulu Wilson, Tregibby, ger tref Aberteifi. Mae pedwaredd genhedlaeth y teulu'n dal i arbenigo ar wartheg Holstein ac yn ddiweddarach ar warteg Jersey. 'Nôl yn 2010 medrent ymffrostio mai ganddyn nhw, yn ôl un beirniad uchel ei barch, oedd y fuwch orau yn y byd, sef Dalesend Storm Maude. Erbyn hynny roedd y fuwch Holstein ddeuddeg oed ryfeddol hon wedi ennill Pencampwriaeth Sioe Frenhinol Cymru bedair gwaith a'r Bencampwriaeth Brydeinig bum gwaith – camp a oedd yn record. Roedd hi eisoes wedi cynhyrchu 124 tunnell o laeth ac wedi bwrw wyth llo. Roedd hi'n perthyn i bedwaredd genhedlaeth ei llinach, tair cenhedlaeth yn dal i odro. Yn wir, fe wnaeth cwmni crochenwaith gynhyrchu modelau o Maude.

Rhaid fu galw yn ffarm Troedyraur, Brongest, sef cartref dau o ffyddloniaid y Sioe Fawr – y diweddar Tom a Lilian Evans. Fe fu'r ddau yn Llywyddion y Sioe a'r traddodiad o fridio moch yn parhau drwy'r mab, Teifi, a mab hwnnw, Rhys. Fe fu Troedyraur, ar hyd y blynyddoedd, yn fagwrfa i foch Cymreig, brid digon prin ond un sydd ar gynnydd bellach. Bwriad y tad a'r mab oedd dod â gwaed newydd i mewn drwy ddatblygu moch o fridiau gwahanol. Credai Teifi fod dod o hyd i foch o linach yn bwysig, moch nad oedd yn perthyn yn rhy agos. A dyna braf yw gweld olyniaeth, nid yn unig ymhlith creaduriaid ond hefyd ymhlith eu bridwyr gyda Teifi a Rhys yn parhau â gwaith da Tom a Lilian.

Draw â fi wedyn i Gerrig Caranau, neu Gerrig Trane ar lafar gwlad, rhwng y Borth a Thre Taliesin. Yno mae Geraint ac Eifion Jenkins, fel eu tad, eu tad-cu a'u hen dad-cu, yn cadw Gwartheg Duon Cymreig. I'r ddau mae'r brid yn bwysig, nid yn unig oherwydd eu natur gynhenid ond hefyd oherwydd eu bod nhw mor llaethog. Mae'r brid yn gynhyrchiol hyd yn oed wedi i'r gwartheg droi'r deg oed. Maen nhw'n greaduriaid gwydn a all barhau allan yn hwyr i mewn i dymor y gaeaf. Mae Geraint ac Eifion ill dau yn aelodau ffyddlon o Glwb Ffermwyr Ifanc Talybont.

Un o'r mentrau mwyaf llwyddiannus i godi arian fu'r arwerthiant lluniau. Yn ganolog i'r arwerthiant roedd llun a gomisiynwyd gan Aneurin Jones. Gwerthwyd y gwreiddiol – llun wedi ei seilio ar y Sioe Fawr gyntaf – ynghyd â nifer cyfyngedig o brintiau. Fe aeth y gwreiddiol am £15,000 a'i gyflwyno'n ôl i'r Sioe. Mae'n hongian yn y Neuadd Ryngwladol. Gwerthwyd y 200 o brintiau am rai miloedd yr un. Noddwr menter llun Aneurin oedd Roland Williams, sefydlydd Gwasanaethau Yswiriant Greenlands yn Aberystwyth. Bu Roland yn cadw defaid Suffolk ers dechrau'r wythdegau ac fe wnes i sgwrsio ag ef a'i blant, Buddug ac Ilan, yn y rhaglen. Dewisodd Roland gadw Suffolk ar gyfrif eu siâp a'u steil. Roedd ganddo hefyd ddefaid Texel a Southdown, a rhai'n cael eu cadw ar dir y Llyfrgell Genedlaethol. Rhagenw'i ddiadell yw Greenlands.

Fedrwn i ddim hepgor y ceffylau, wrth gwrs, ac fe aeth y tîm ffilmio i lygad y ffynnon, i Frongou, Pennant, sydd wedi bod yn fagwrfa i gobiau dros y cenedlaethau. Roedd y brodyr Isaac, Defi John a Brynmor, yn chwedlau, ac yn 2010 roedd Brynmor yn dal gyda ni, ac yntau'n 93 oed. Doedd e ddim am fynd i'r Sioe y flwyddyn honno. Fe allai weld y cyfan ar y teledu, meddai. A dyna i chi enghraifft arall sut mae byd y cyfryngau wedi datblygu ochr yn ochr â'r Sioe. Roedd tad y tri brawd, Dafydd, yn gryn gymeriad. Mae sôn amdano'n sgwrsio â bridwyr o'r Sowth oedd wedi galw ar y ffarm, a'r hen foi'n disgrifio rhagoriaethau ac arbenigrwydd y meibion – Brynmor am fashîns, medde fe, Defi John am geffylau, ac Isaac am fenywod. Mae'r dywediad bellach yn rhan o hanes bro.

Roedd Gwyn, etifedd y tri brawd, wedi ei ddewis i fod ymhlith y beirniaid y flwyddyn honno a chydag e y ces i'r cyngor gorau ar gyfer unrhyw ddarpar feirniad. Yn gyntaf, medde fe, dewiswch y ceffyl y byddech chi fwyaf hapus yn mynd ag e adre gyda chi. Gosodwch hwnnw fel y safon ac ewch o'r fan honno. Mae'r olyniaeth yn parhau gyda meibion, Gwyn, Dafydd a Siôn, erbyn hyn yn bridio creaduriaid hefyd, ond defaid Kerry a Suffolk yn eu hachos nhw.

Draw i Fronfedw, Ciliau Aeron, aethon ni wedyn i weld buches Blonde d'Aquitaine Dan Davies a'i fab, Rhidian. Ar hap y cychwynnwyd cadw'r brid. Fe aeth Dan lawr i Bontsenni 'nôl yn 1985 am darw addas. Doedd Dan erioed wedi gweld y brid o'r blaen ac roedd e'n cyfaddef iddo brynu cath mewn cwd. Ond fe'i plesiwyd. Mae'r brid yn enwog am gig da, a dysgodd Dan wers gan y Ffrancwyr sy'n mynnu bod y cig gorau ar wartheg Blonde i'w gael lle mae'r haul yn disgleirio.

Menter arall fu cyhoeddi'r gyfrol *Ymlaen â'r Sioe* gan Charles Arch a Lyn Ebenezer, sef hanes cyfraniad Sir Aberteifi i'r Sioe Fawr. Fe aethon ni draw i'r Fynachlog Fawr ger Ystrad Fflur, lle ganwyd a magwyd Charles i gyfarfod â'r ddau. I gyd-fynd â Sioe'r Cardis cyhoeddwyd hefyd y gyfrol *Welsh Ponies and Cobs* gan Dr Wynne Davies o Fridfa Ceulan. Fel rhan o'r ymgyrch fe drefnwyd nifer o ddiwrnodau agored. Yn Aberystwyth, er enghraifft, fe gafwyd gorymdaith o greaduriaid ffarm – diwrnod pan ddaeth y wlad i'r dre. Yno fe gwrddes i â Llysgennad y Sioe, Teleri Jenkins Davies, a hwyrach nad yw'r rhyw deg wedi cael digon o sylw yn y gorffennol. Dyna i chi Margaret Gerrard wedyn, oedd i feirniadu cystadlaethau crefft y merched yn Sioe'r Cardis. Fe wnes i ymweld â hi yng nghanol ei chreadigaethau cain yn ei chartref yn Llangoedmor. Roedd Margaret yn gryn arbenigwraig ar waith llaw gan greu clustogau a charthenni ac yn grefftus mewn gwau a chrosio.

Yn Aberaeron, fe wnes i rywbeth na wnes i na chynt na chwedi, sef modelu dillad mewn sioe ffasiwn. Am y tro cyntaf yn fy mywyd – a'r tro olaf, gobeithio – fe wnes i wisgo jîns. Y broblem fwyaf fu eu tynnu fyny dros fy mol. Ond hyd yn oed yn waeth na gwisgo jîns, fe fu'n rhaid i fi wisgo shorts! Doedd fy nghoesau i ddim wedi dal haul ers tro byd.

Yna, mewn tri lleoliad gwahanol cynhaliwyd diwrnod agored y cobiau gan ymweld â Dai a Siân Harris o Fridfa Pennal. Pennal Brynmor, un o gobiau Bridfa Pennal, enillodd Dlws Tywysog Cymru yn Llanelwedd y flwyddyn cynt. Trefnwyd digwyddiadau hefyd ym Mridfa Trefaes, Beulah, gyda Huw a Carys Davies, ac ym Mridfa Menai ger Llandysul gyda Peter ac Ann Jones.

Yr arfer yw bod y gronfa a godir o fewn pob sir yn cael ei rhoi tuag at gynllun arbennig. Gwariwyd arian y Cardis ar y Neuadd Fwyd gan fod gwir angen gorffen honno. Ond gwnaed hynny gyda'r dealltwriaeth y deuai cyfle i ddylanwadu ar y Siroedd eraill i gyfrannu at Adran y Ceffylau, o gofio'r cysylltiad unigryw rhwng y Cardis a'r Cobyn. Teimlwn fod hwnnw'n achos teilwng iawn o ystyried y cysylltiad unigryw rhwng sir y Cardis a'r cobyn. Mae'r cobyn a'r merlyn Cymreig yn atyniad byd-eang, a phriodol felly yw bod yna adnodd teilwng ar gyfer eu cadw a'u dangos ar Faes y Sioe.

Ie, blwyddyn fawr, ac roedd cael bod yn Llywydd y Sioe Fawr yn un o uchafbwyntiau fy mywyd. Yn ystod y sioe ei hun fe ges i ac Olwen ein trin fel brenin a brenhines.

Mewn maes cwbwl wahanol fe ges i fy newis i fod yn Llywydd Cantorion Colin Jones. Mae'r 'Maestro', fel y caiff ei adnabod, wedi ymddeol bellach. Dyma ŵr a weithiodd yn y ffas yn y gwaith glo yn fachgen ifanc. Fe enillodd ysgoloriaeth i goleg cerdd gan ddod yn brif ddarlithydd llais ym Manceinion. Wedyn fe sefydlodd

Gôr y Rhos, wrth gwrs. Yna fe sefydlodd Gantorion Colin Jones, côr arbennig iawn o leisiau gwych a deithiodd y byd, côr o gant o ddynion, llawer yn unawdwyr ac eisteddfodwyr profiadol fel Tom Bryniog a Trebor Gwanas a'r ddau fab. A braint fu cael bod yn llywydd am rai blynyddoedd. Fe fues i gyda nhw yn Ffrainc, a'r Ffrancwyr yn dotio at y canu.

Anrhydedd arall fu derbyn Cymrodoriaeth gan Brifysgol Aberystwyth ac Athro yn y Celfyddydau gan Brifysgol Cymru. Mae'r cyfan wedi deillio o fod yn rhan o fyd yr eisteddfodau, y treialon cŵn defaid, y sioeau a gweithgareddau eraill cefn gwlad. A meddyliwch am hyn: Er mai addysg ysgol uwchradd fodern ges i, a marciau'r gansen ar fy llaw yn amlach nag olion inc ar fy mysedd, mae gen i'r hawl bellach i osod yr enw 'Doctor' o flaen fy enw!

Uchafbwynt arall fu ennill y brif wobr gydag Eidion Du Cymreig yn Sioe Smithfield. Hwn oedd yr achlysur cyntaf erioed pan enillodd Eidion Du Cymreig Wobr y Fam Frenhines. Mae'n wir mai prynu'r creadur wnes i, ond fe wnes i ymfalchïo yn y ffaith mai fi wnaeth ei berffeithio. Fe'i prynais ar gyfer rhaglen *Cefn Gwlad* er mwyn rhoi syniad i'r gwylwyr o'r gwaith o feithrin y fath greadur. Fe fu ennill y wobr yn fonws sylweddol. Bryd hynny, Smithfield oedd prif sioe'r byd o ran da tewion.

Flwyddyn yn ddiweddarach fe enillais i'r wobr am greadur cynhenid, un ro'n i wedi ei fridio, yn Sioe Llanelwedd. Ddim yn unig mae llwyddiannau ac anrhydeddau yn plesio rhywun, ond hefyd r'ych chi'n cael y teimlad fod pobol yn eich parchu. Fel ffermwr fy hunan rwy'n rhannu'r un pleser a hefyd yr un gofidiau â nhw. Ar ben y cyfan fe ddewiswyd fi'n Llywydd y Gwartheg Duon Cymreig, a hynny ym mlwyddyn dathlu canmlwyddiant y brid. Fe fues wedyn yn Is-lywydd Oes Cymdeithas y Cobiau ac yn Llywydd y Treialon Cŵn Defaid Rhyngwladol dros Gymru, a chynrychioli Cymru mewn treialon cŵn defaid rhyngwladol. Mae'r cyfan yma'n cyfrif i fi.

Eleni cynhaliwyd y Treialon Rhyngwladol yn Nhywyn, ac fe fues i yno yng nghwmni Charles Arch a Huw Aberffrydlan. Yn addas iawn, y Llywydd oedd yr hen gyfaill annwyl, Eirian Morgan. Dyma'r treialon cŵn defaid gorau i fi fod ynddyn nhw erioed, yng nghysgod Craig y Deryn a Chader Idris. Ac ar ben y cyfan fe enillodd Kevin Evans o Libanus y wobr unigol, Cymru wnaeth ennill y darian am y tîm gorau ac o'r pymtheg ci yn y rownd derfynol roedd saith yn gi Cymreig. Ac fe enillodd y Cymro, Aled Owen, gamp y Gyrru.

Yn 2005 fe'm dewiswyd i fod yn Llywydd Mudiad y Ffermwyr Ifanc yng Nghymru. Clwb Ffermwyr Ifanc Llangwrddon oedd fy ngholeg i. Wedyn, fel y crybwyllais, fe ddes yn aelod o Glwb Llanilar, ac Olwen a finne'n cael y fraint o fod yn arweinyddion.

I wneud y darlun yn gyfan, a chynnwys byd y cyfryngau hefyd, fe wnaed fi'n Gymrawd o BAFTA Cymru. Dwi ddim yn un sy'n hoff o sbloet. Dwi ddim yn seléb, a diolch i Dduw am hynny. Ond fe fu ennill y BAFTA yn goron ar fy ngyrfa ym myd y cyfryngau.

Petawn i'n gorfod dewis yr anrhydedd pennaf, mae'n

debyg mai hwnnw fydde penderfyniad y gwylwyr, drwy bleidlais, ar ben-blwydd S4C yn ugain oed yn 2002 i ddewis *Cefn Gwlad* yn rhaglen orau'r sianel. Fedrwn i ddim dychmygu anrhydedd uwch na hynna. Ond fi fydde'r cyntaf i gydnabod nad anrhydedd personol oedd hwnnw ond cydnabyddiaeth i'r tîm cyfan.

5

Mynd er
mwyn dod 'nôl

MAE TEITHIO'R BYD wedi golygu llawer o hedfan. Ond yn rhyfedd iawn, fel rhywun sydd arno ofn y pethe mwyaf annisgwyl – amryw yn bethe sy'n ymddangos yn gwbwl ddiniwed – dwi erioed wedi ofni hedfan. Mae hwylio'n fater arall. Fedra i ddim goddef teithio ar ddŵr. Yn wir, rwy wedi gwrthod pob cynnig i fynd ar fordeithiau fel canwr neu ddiddanwr, er i fi gael sawl cynnig. Fedrwn i ddim meddwl am ddeffro ganol nos gan wybod nad oedd un clawdd yn agos a bod llathenni lawer o ddŵr oddi tana i. Ac o ddeffro, chysgwn i ddim eiliad wedyn. Mae'r cyfan yn mynd yn ôl at fy ofn o ddŵr. Felly, hedfan fydd y dewis bob cyfle ar gyfer teithiau tramor, er na fyddwn i'n hapus iawn, erbyn hyn, i hedfan i ben draw'r byd i fannau fel Patagonia neu Seland Newydd.

Roedd gan yr anfarwol Eirwyn Pontshân ddywediad. Yn wir, roedd e'n un dywediad o blith llawer:

'Mae hi'n werth mynd er mwyn cael dod 'nôl', medde fe.

Fe fyddai'n ychwanegu, 'Mae'n werth mynd, achos os na awn ni, ddown ni ddim 'nôl.'

Roedd yna ddywediad tebyg hefyd gan Lisi Pengelli.
Ar ôl cloncan gyda Lisi am sbel fe fyddwn i'n dweud:

'Wel, mae'n well i fi fynd, Lisi, er mwyn cael dod
'nôl.'

A Lisi'n ateb, 'Ie, cer neu ddoi di byth 'nôl.'

Fe allwn i addasu'r dywediad yna ar gyfer fy hunan.
Yn ystod y cyfnod wedi cyhoeddi'r hunangofiant cyntaf
rwy wedi ymweld â phedwar ban byd. Ac wedi dod 'nôl.
Fe fues i yn America yn ffilmio rhaglen ar Gymro yn
Ohio oedd yn wreiddiol o'r ardal wledig a mynyddig
sydd rhwng Pen-uwch a Bwlch-llan. Roedd y diweddar
Bob Evans o dras teulu Edwards Brynele, a nifer
fawr ohonyn nhw wedi ymfudo i Ohio yn nhridegau'r
bedwaredd ganrif ar bymtheg. Mae'r cyflwynydd
newyddion Huw Edwards a'r canwr Dafydd Edwards
o'r un tras. Bob Evans oedd sefydlydd cadwyn o dai
bwyta yn Ohio a thu hwnt. Fe sefydlodd fwy, mae'n siŵr,
nag sydd yna o Little Chefs yng ngwledydd Prydain. Y
diwrnod cyntaf ro'n i yno, fe ddaeth Bob ata i a gofyn
gydag acen Americanaidd ddofn:

'Have you got a hat, Dai?'

Fe ddwedes wrtho fe fod gen i un gartre ond mai
siarad drwyddi fyddwn i'n ei wneud fwyaf. Ond doedd
bod heb het yng nghwmni Bob ddim yn ddigon da.
Credai fod dyn heb het yn gyfystyr â bod yn noeth.

'You've got to have a proper American hat,' medde fe
yn y twang nodweddiadol hwnnw.

Ac fe ges i het ganddo fe. Un dda oedd hi hefyd – Stetson
enfawr. Fe'i crewyd yn wreiddiol ar gyfer cloddwyr aur
yn nhalaith Colorado cyn cael ei mabwysiadu'n het

gowbois. Enw arall ar y fath het yn America yw 'het ddeg galwyn'. Roedd gen i eisoes fol deg galwyn. I fi, roedd y Stetson hefyd yn het ddeg diwrnod. Fe wnes i ei gwisgo hi bob dydd am y deg diwrnod y bues i yno.

Ym myd y sosejys roedd Bob wedi gwneud ei farc. Ac ym myd y cig yn gyffredinol. Roedd Bob yn ddyn poblogaidd iawn. Pan gerddai i mewn i un o'i dai bwyta fe fydde pobol yn tyrru ato. Roedd e fel y Pibydd Brith yn Hamelin. Y bore cyntaf ro'n i yno dyma fe'n gofyn i fi beth fynnwn i ei gael i frecwast. Finne'n gofyn am frecwast traddodiadol, nodweddiadol. Nawr rwy'n fwytwr o fri, fel y gŵyr pawb, ond bobol bach, dyma'r brecwast yn cyrraedd! Tua hanner dwsin o grempogau, neu 'boncage' fel y byddwn ni'n ei ddweud ffordd hyn, a haen drwchus o driog yn diferu drostyn nhw fel diliau mêl. Ond nid dyna'r cyfan. Roedd mwy i ddod.

'You ain't seen nothin yet!' medde Bob.

A dyma fe'n dod â stecen ddeuddeg owns, bron cymaint ag ystlys eidon. Coffi wedyn heb lefrith, a hwnnw'n gryf ac mor ddu ac mor chwerw â chreosot. Roedd e wedi dod â'r brecwast roedd e'n feddwl fydde'n fy siwtio i.

'I can see what kind of a man you are,' medde fe.

Ie, dyn â meddwl treiddgar oedd Bob. Ar ôl stwffio fy mol daeth hi'n amser wedyn i fi fynd o gwmpas y lle. Roedd ŵyr Bob yno i'n tywys ni. Roedd ganddo fe gar oedd bron mor fawr â neuadd bentre Llanilar. Fe wnaethon ni deithio ar draffordd oedd wedi ei henwi ar ôl y miliwnydd o Gymro, 'The Bob Evans Highway', sef rhan o Route 35. Nawr, rwy wedi bod yn America fwy nag unwaith ond Bob Evans wnaeth agor fy llygaid i'r America go iawn.

Roedd ei wraig, Jewell, yn ddynes hyfryd iawn. O gyfarfod â hi fe allech dyngu mai Cymraes o gefn gwlad oedd hi. Roedd ei ffordd hi o'n croesawu yn Gymreig iawn. Y peth cyntaf a wnaeth hi oedd cynnig paned. Roedd stafelloedd y cartref hefyd yn gwbwl Gymreigaidd eu natur, o'r lluniau ar y wal i'r dodrefn. Roedd hon wedi cwrdd â rhai o fawrion America ond yn rhoi llawn cymaint o amser i foi bach fel fi o gefn gwlad Sir Aberteifi.

Fe anwyd Bob yn Wood County, Ohio, lle'r oedd ei dad a'i ewythr yn ffermio ar dir oedd wedi'i rentu. Fe symudodd y teulu i Gallia County yn 1929 lle'r oedd amryw o aelodau'r teulu eisoes yn byw. Mae'r gair 'Gallia' yn adlewyrchu dylanwad y Ffrancwyr a ymsefydlodd yno. Ond fe heidiodd cymaint o ymfudwyr o Sir Aberteifi yno hefyd yn hanner cyntaf y bedwaredd ganrif ar bymtheg fel y cyfeirid at y lle gan rai fel 'Little Cardiganshire'. Yno, fe agorodd y tad siop groser. Fe wnaeth Bob yn dda ym myd addysg gan raddio mewn milfeddygaeth. Ar ôl priodi â Jewell Walters yn 1940 fe brynon nhw dŷ bwyta yn Gallipolis ond fe werthodd Bob y lle i ffrind a mynd i'r fyddin. Ar ôl gorffen ei yrfa filwrol fe brynodd ffarm gan agor hefyd le bwyta yn rhan ohoni, digon o le i eistedd dwsin. Fe ddechreuodd wedyn wneud sosejys cig moch gan ddefnyddio'i greaduriaid ei hun. Dyma ddechreuad busnes 'Bob Evans Farms'. Mae'r lle bach hwnnw a agorodd gyntaf nawr yn eistedd 134 o gwsmeriaid.

Ehangodd y busnes, ac erbyn 1957 roedd gan Bob bedair o ffatrïoedd sosejys. Ond roedd tai bwyta lleol yn amharod i brynu'r cynnyrch. Ateb Bob fu sefydlu cadwyn o'i dai bwyta ei hunan. Erbyn 2012 roedd ganddo fwyty mewn 19 o daleithiau a'r busnes yn werth $1.7 biliwn. Erbyn hyn mae yna 600 o dai bwyta yn y gadwyn a hynny mewn 24 talaith.

Fe ymddeolodd Bob o fod yn gyfarwyddwr a llywydd y busnes ar ddiwedd 1986 a bu farw yn 2007 yn 89 oed. Ond parhaodd yn noddwr y bywyd cefn gwlad hyd y diwedd. Ef yw'r unig un mewn hanes i'w anrhydeddu deirgwaith gan y Ffederasiwn Bywyd Gwyllt Cenedlaethol. Fe fu'n gefnogwr brwd i fudiadau ffermwyr ifanc sy'n cyfateb i'n Ffederasiwn Clybiau Ffermwyr Ifanc ni.

Roedd cartref Bob a Jewell a'u chwech o blant ger Rio Grande yn Ohio, cyrchfan ugeiniau o Gardis yn nhridegau'r ganrif ddiwethaf. Erbyn hyn mae'r ffermdy'n gra'r cenedlaethol ac wedi ei gofnodi yn fan o ddiddordeb hanesyddol. Ynddo mae amgueddfa lle gwelir hen bethe, crefftau a phob math o ddigwyddiadau cefn gwlad ynghyd â Gŵyl Amaethyddol Bob Evans bob mis Hydref. A dyna i chi lwyddiant i fachan bach o Gardi â'i wreiddiau ym Mwlch-llan. Pleser fu cael cyfarfod â Bob. Ond yn anffodus ches i ddim cadw'r het. Wedi'r cyfan, Cardi yw Cardi, ontefe? Ac fel Cardi o dras, fe fynnodd Bob gael yr het yn ôl.

Rwy'n cofio John Nantllwyd, ar ôl gweld y rhaglen, yn adrodd hanes Bob wrth rywun yng nghapel Soar y Mynydd un dydd Sul:

'Bachgen, bachgen!' medde John. 'Mae 'na fachan o

Fwlch-llan yn gwneud sosejys. Mae ganddo fe fashîn mowr. Mae e'n rhoi'r mochyn mewn un pen a sosejys yn dod mas y pen arall yn ddi-stop.'

A'r ffrind yn holi, 'Beth os fydd e wedi gwneud gormod?'

'Dim problem,' medde John. 'Mae e'n gwthio'r sosejys 'nôl mewn a ma'r mochyn yn dod mas yn gyfan y pen arall.'

Oedd, roedd yr ymweliad ag Ohio yn achlysur cofiadwy. Cael mynd wedyn hanner ffordd ar draws y byd i Seland Newydd i'r Mount Linton Estate at Ceri Evans, bachgen o ochrau Cricieth a oedd yn rheolwr ffarm. Yno fe ges weld cannoedd o wartheg. Ar y pryd, digwydd bod, roedd yno ddau fachgen o goleg yng Nghymru, dau Gymro o ardal y Bala. Yno roedden nhw ar y meysydd eang gyda 13,000 o wartheg pedigri Aberdeen yn lloia. Roedd un ar feic yn barod i symud o le i le a'r llall yn barod i dagio'r creaduriaid. Roedd yno gorlannau anferth ar gyfer dod â'r gwartheg i mewn. Un nodwedd oedd bod pobol yn prynu gartre. Ro'n nhw'n prynu'r holl deirw'n lleol a'r cyfan yn cael ei gofnodi'n fanwl ar bapur.

Roedd yno lawer iawn o ddefaid, a dyna brofiad oedd gweld y bugeiliaid yn gweithio yno, yn tagio, yn cneifio, tendio'r ŵyn, sbaddu, dosio. A'r adeiladau eang wedyn, ac ynddyn nhw bob peth ar gyfer pob gorchwyl. Roedd Ceri, cynnyrch Coleg Amaethyddol Cymru, wrth ei fodd yno ac yn cael ei gyfrif ymhlith y bobol fwyaf blaenllaw yn y byd amaethyddol. Mae galw mawr arno i fynychu cyfarfodydd byth a hefyd.

Ie, gorau Cymro, Cymro oddi cartre, medde'r hen wireb. Ystrydeb, hwyrach, ond mae llawer o wir ynddo fe mewn enghreifftiau fel Ceri.

Yn Seland Newydd, wrth gwrs, roedd yna fanteision nad oedd i'w cael yma yng Nghymru. Mwy o adnoddau. Llawer iawn mwy o dir, a hynny'n golygu cadw llawer iawn mwy o anifeiliaid. Yn wahanol i ni, doedd dim byd yn mynd i'r farchnad, ond yn hytrach yn cael ei werthu ar y bachyn. Ond, ar y llaw arall, roedd ehangder y lle'n golygu llawer iawn o deithio.

Taith agosach fu honno i Ffrainc pan ges i gyfle i fynd ar ôl y gwartheg Charolais a'r Limousin a'r gwartheg Salers – tri brid cyfandirol sy'n boblogaidd iawn. Un peth sy'n gyffredin ymhlith tramorwyr, ynghyd â'r Saeson yn eu plith, yw eu bod nhw'n fwy parod i werthu na ni'r Cymry. Yn Ffrainc fe fydden nhw'n gwerthu anifeiliaid rownd y ril, ac mae'r bwyd maen nhw'n ei baratoi ar eich cyfer yn seigiau a hanner. Pob dydd fel diwrnod cymanfa. Mae yna wastad groeso. Fe aen nhw â chi o gwmpas y lle, a chroeso da bob amser.

Rwy'n cofio mynd i ardal Limousin ei hun. Mae'r dalaith yng nghanoldir y wlad, ardal wledig sy'n dibynnu ar ffermio a choedwigaeth. Dyma'r ardal fwyaf llewyrchus o ran cynhyrchu cig eidion. Ar ôl tua thri llo fe fydde'r gwartheg yn cael stopio magu. Ar wahân i'r buchod sioeau gorau fe fydde'r gwartheg hynny wedyn yn cael eu cadw mewn siediau tebyg i gytiau moch, ond eu bod nhw'n llawer mwy o faint. Yno fe gaen nhw eu porthi'n drwm. Fe gâi'r swynogyddion, sef y gwartheg hesbon wedyn, a'r rheiny'n pwyso tua dwy dunnell, eu gwerthu am rhwng dwy a thair mil a hanner o bunnau'r un.

Fe wnaethon ni fynd i weld y Charolais wedyn, a dyna beth oedd gwledd i'r llygad. Gwartheg mawr cyhyrog, pob un yn werth ei weld. Am y teirw, roedd rhai'n rhy drwm i fuwch eu dal nhw, felly ymhadu artiffisial oedd y drefn gan fwyaf. O weld yr arferion allan yno, yr hyn oedd yn taro rhywun oedd ceisio dychmygu faint o gostau fydde'r math hwn o ffermio yn ei olygu. Ac nid Cardi fel fi'n unig fydde'n gofyn.

Roedd y Salers yn wahanol. Buchod llaethog yw'r rhain, yn fwy tebyg, hwyrach, i'r Gwartheg Duon Cymreig. Ro'n nhw'n wartheg a fedrai fyw mewn mannau uchel, a llawer iawn ohonyn nhw'n magu lloi da. A dyma'r buchod gorau erioed welais i ar gyfer eu croesi â tharw Charolais. Roedd amryw ohonyn nhw'n edrych yn henffasiwn, gyda chlychau o gwmpas eu gyddfau, a phan fydde hanner cant i drigain ohonyn nhw'n dod lawr dros y llechweddau i'w godro, roedd sŵn y clychau hyn yn fyddarol. Roedd pob buwch yn adnabod ei lle ac yn mynd i'w lloc arferol yn ddidrafferth.

Fe fydden nhw wedyn yn dod â'r lloi allan o'u cutiau, cydio yn eu clustiau nhw a'u harwain, a'r rheiny'n lloi chwech neu saith mis oed. Byddai'r lloi wedyn yn cael sugno. A wir i chi, fe alle llo fod yn sugno un deth a'r peiriant yn godro'r tair teth arall ar yr un pryd. Hwyrach nad oedd y glanweithdra fyny i'n safon ni. Mewn un man roedd ffermwr yn ffermio fry ar y mynydd, a'r buchod yn dod mewn i ryw gorlan fawr agored, a'r unedau'n hynod hen. Welais i neb yn golchi dim byd, a'r llaeth yn mynd ar ei union i'r tanc. Fe fydde'r olygfa'n ddigon i achosi haint, nid ar y defnyddwyr ond ar ein swyddogion glendid ni.

Mae'r Ffrancwyr yn bobol sy'n meddwl y byd o'u ffermydd. Pan fydd ffermwyr Ffrainc yn protestio, maen nhw'n protestio o ddifri. Mae yna barch aruthrol i'r byd amaethyddol yn Ffrainc, mwy o lawer nag yma yng ngwledydd Prydain. Dyna pam mae cymaint o ddrwgdeimlad tuag at ffermio yma. Mae'r cyhoedd yma'n meddwl mai dim ond drwy gael cymorthdaliadau mae ffermwyr yn bodoli. Mae angen goleuo pobol. Mae Llywodraeth yr Alban yn annog ac yn gyrru ffermwyr ymlaen. Ond mae'r sefyllfa gynddrwg gyda ni fel bod rhywun yn brawychu o feddwl na fydd, cyn hir, ddim byd ar ein bryniau ni, dim ond grug a cherddwyr. Barn bersonol yw hon, cofiwch, ond fe fydda i'n mynd o 'ngho pan fod yna rwystr arnon ni rhag hela llwynogod fel cynt. Mae hela llwynog yn ffordd o fyw yng nghefn gwlad ers canrifoedd ac yn ddull sydd wedi gweithio.

Un tro roedden ni wrthi'n ffilmio rhaglen ar rywun oedd yn cadw ffesantod. Un bore fe welson ni ganlyniad ymweliad gan lwynog oedd wedi llwyddo i gael ei hun i mewn dan ddrws lloches yr adar. Roedd e wedi lladd dros dri chant o ffesantod bach. Lladd er mwyn lladd. Roedd e wedi eu mygu. Nawr mae'r creaduriaid yn rhemp ac yn cael tragwyddol ryddid i wneud fel y mynnant.

Mae'r mochyn daear wedyn yn gwneud cymaint o ddrwg i wartheg. Mae e'n lledaenu'r diciáu gan arwain at ladd miloedd bob blwyddyn. Mae llawer iawn yn cael eu lladd dim ond i ddarganfod wedyn nad oedden nhw'n dioddef o'r haint o gwbwl. Yn wir, mae dros hanner y nifer a ddifrodir heb fod yn dioddef o'r haint. Fe allech feddwl, yn yr oes ddysgedig hon, y bydde modd canfod tystiolaeth bendant o'r haint yn yr anifeiliaid cyn eu lladd.

Ry'n ni'n gorfod bod yn ofalus iawn yn y cyfryngau i beidio â dweud popeth sydd ar ein meddwl. Ond yma, fe fedra i ddweud fy nweud heb flewyn ar dafod.

6

Y Wladfa

FE DDYLE POB Cymro neu Gymraes gwerth ei halen
wneud ymdrech i ymweld â Phatagonia o leiaf unwaith.
Ydy, mae hi'n daith hir a thrafferthus ac yn medru costio
cryn dipyn, ond mae yna wahanol gwmnïau sy'n trefnu
teithiau fforddiadwy. Fe fues i'n ddigon ffodus i gael
mynd yno ddwywaith fel rhan o'm gwaith teledu. Ond
hyd yn oed pe na bawn i wedi bod mor ffodus, fe fyddwn
i wedi ffeindio fy ffordd yno rywbryd a rhywfodd. Mae
ymweld â Phatagonia ar ben y rhestr o'r pethe mae'n
rhaid i chi eu gwneud cyn marw. Wrth gwrs, fedrwch
chi ddim mynd ar ôl i chi farw!

Fe wnes i ymweld â Phatagonia gyntaf gyda *Cefn
Gwlad* 'nôl yn 1996. Fe wnes i ddychwelyd yno wedyn
yn 2000. Yna'r llynedd, ym mlwyddyn dathlu can
mlwyddiant a hanner glaniad y *Mimosa* yn 1865, dyma
benderfynu llunio rhaglen i nodi'r achlysur hanesyddol.
O ganlyniad i'r ymweliadau blaenorol fe wnaethon ni
baratoi rhaglen o bigion y ddwy daith.

Mae teithio i Batagonia'n bererindod ynddi'i
hun. Hyd yn oed heddiw, ar awyren, mae'r daith i'r
Wladfa'n daith hir o 8,000 milltir. Gall gymryd tua
deg awr o hedfan i Buenos Aires, ac yna awr a hanner

arall i Drelew, a mwy fyth i Esquel. Meddyliwch am yr amser gymerodd hi i'r ymfudwyr cynnar. Do, fe gymerodd gryn ddau fis. Fe deithiodd 153 ar y *Mimosa*, yr oedolion yn talu £12 yr un a phlant yn hwylio am hanner pris. Parhaodd yr ymfudo hyd at ddechrau'r ugeinfed ganrif.

I rywun sy'n cyrraedd y Wladfa am y tro cyntaf mae'n sioc enfawr. Mae'r wlad mor wahanol i Gymru. Yn un peth, mae'r hinsawdd mor wahanol. Y tirwedd wedyn yn amrywio o ardaloedd o dyfiant ffrwythlon i grindir cras y paith. O wastadedd wedyn i uchelderau'r Andes. Ond yr hyn wnaeth fy nharo i'n bennaf oedd anferthedd y lle. Mae'r Wladfa ymron i 300,000 milltir sgwâr, a Chymru ddim ond tua 8,000 milltir sgwâr.

Yr hyn sy'n hynod hefyd yw fod llawer o Gymry'r Wladfa ddim yn unig wedi cadw'r Gymraeg ond fod y Cymraeg hwnnw mor raenus a glân, a'r oslef Sbaenaidd yn ychwanegu at geinder y llefaru. Credir fod yna tua 50,000 o dras Cymreig yn byw yn y Wladfa a thua 5,000 yn medru siarad Cymraeg. Mae yna dair ysgol ddwyieithog Cymraeg a Sbaeneg yno ac un ysgol Gymraeg ei hiaith – Ysgol yr Hendre yn Nhrelew – a choleg yn Esquel. Mae tua phedwar ugain o ddosbarthiadau dysgu Cymraeg yno a thua mil a hanner yn eu mynychu. Cadwyd hefyd enghreifftiau o'r hen ffordd Gymreig o fyw. Syndod mawr oedd ymweld ag Ifor ac Esther Hughes a bod yn dyst i weld symud eu buches Swydd Henffordd o'u hendre yn ardal Tecka i'w hafod yng nghyffiniau Llyn Rosario, un o hen arferion amaethwyr Cymru.

I nodi'r canmlwyddiant a hanner, fe wnaethon ni fynd ati i lunio'r rhaglen o bigion y ddau ymweliad gyda'r teitl, *Antur yr Andes*. Fe wnes i ddwyn ar gof y ffaith i fi gwrdd â'r genhedlaeth olaf oedd â chof byw o gyndeidiau mentrus y *Mimosa*. Ymhlith y disgynyddion cyntaf i ni gwrdd yn 1996 roedd Elmer ac Irfon Davies MacDonald o Dir Halen, Chubut. Yn Nhanybryn roedd Irfon yn byw a phan wnes i gwrdd ag e roedd e'n chwarae emyn-dôn ar yr organ:

Gwaed y groes sy'n codi i fyny
'Reiddil yn goncwerwr mawr.

Cofiwch, nid emynau oedd ei unig hoffter. Roedd e'n gryn feistr hefyd ar chwarae miwsig y tango. O gwmpas y tŷ roedd hen beiriannau ffarm yn dractors, beinder a byrnwr, y cyfan yn rhydu ond yn dystion gweledol i'r llafur a fu. Ar y cae roedd buches braf yn pori ac yn eu canol safai'r brenin, sef Jac y tarw. Fe ges i fynd gydag Irfon i weld y system ddyfrio, rhwydwaith o gamlesi, a'r dyfrio'n digwydd unwaith bob pythefnos drwy agor a chau llifddorau syml. Er ei wreiddiau Cymreig, fel Archentwr yr ystyriai Irfon ei hun. Roedd ei daid a'i nain, Dafydd Dafis a Catherine Humphreys, yn Gymry. Fe gyrhaeddon nhw gyda'u dau blentyn ac yn Nhanybryn y ganwyd tad Irfon, sef Robert Davies.

I mewn â ni i'r tŷ ac Irfon, hen lanc, yn cofio am ei waith fel ffarier. Dysgu'r grefft wnaeth e o lyfrau, a'r llyfr cyntaf a ddarllenodd ar y pwnc yn llyfr Cymraeg. Yn y gegin roedd ganddo glorian enfawr. Dyma fynd ati wedyn i setlo dadl, p'un ohonon ni oedd y trymaf. Doedd yna ddim cystadleuaeth. Ro'n i stôn gyfan yn drymach nag Irfon er fy mod i flynyddoedd yn iau nag e.

Draw wedyn â fi at chwaer Irfon, sef Elmer, oedd wedi colli ei gŵr ers rhai blynyddoedd. Roedd hi wrthi'n bwydo'r ieir. Roedd ei thad yn ŵr cerddorol ac yn arweinydd côr – gorchwyl a etifeddwyd gan Elmer, er mai dim ond ychydig o aelodau oedd yn weddill bellach. Ond syndod i fi oedd canfod, mewn ymarfer côr, fod 'ychydig' i Elmer yn golygu cryn ddau ddwsin o aelodau. Fe fydde unrhyw arweinydd 'nôl yng Nghymru'n hapus i gael cynifer mewn côr.

Hoff emyn y Cymry alltud, meddai Elmer, oedd 'Calon Lân', ac fe ganodd hi'r emyn i fi – yn Sbaeneg. O wrando fe lwyddais i ddysgu un gair o Sbaeneg. Y gair Sbaeneg am galon yw 'corazon'. 'Nôl wedyn at Irfon a chanu geiriau 'Gwaed y groes.' Dyma ofyn iddo a wnaeth e erioed ystyried priodi? Naddo. A'r esboniad? Roedd e'n leicio'r merched i gyd! Feiddiai e ddim priodi, medde fe, gan y bydde un diwrnod gyda'i wraig ond trannoeth gyda menyw arall. Ac yna byddai'n helynt.

Draw â ni wedyn i Fynwent Tir Halen lle gorweddai hynafiaid Irfon ac Elmer. Roedd bedd eisoes wedi ei bennu ar ei gyfer, sef Rhif 62, yng nghwmni ei rieni a'i ddau daid a'i ddwy nain.

Ymlaen i Chwefror 2000 ac at bigion o'r ail ymweliad. Cyfarfod wnes i â Vincent Evans, Afon Fawr yng Nghwm Hyfryd a chael y wefr o wrando arno'n cyfeilio iddo'i hun ar yr acordion yn canu clasur Dafydd Iwan, 'Mi glywaf, mi glywaf y llais'. Yn naturiol feddyliais i am yr arloeswyr cyntaf a fentrodd draw, a'u pererindota wrth iddyn nhw chwilio am fan addas i fyw. Pan gyrhaeddodd y fintai gyntaf y fangre honno, dyma un ohonyn nhw, wrth edrych i lawr ar y dyffryn yn dweud, mae'n debyg: 'Wel, dyma gwm hyfryd.'

Enw da ac enw cymwys. A dyna fu enw'r lle byth wedyn. Ai ffrwyth chwedloniaeth neu ffaith yw'r hanes? Pwy a ŵyr? Mae e'n haeddu bod yn wir. Mor addas oedd geiriau cân Dafydd Iwan o enau Vincent:

Mi glywaf, mi glywaf y llais
Yn galw, yn galw yn glir,
A minnau ar grwydr ymhell o'm llwybr,
Ymhell o'm cynefin dir,
Yn dal i gerdded heb lygaid i weled
A'r daith yn flin ac yn hir.

A dyna union brofiad yr ymsefydlwyr cynnar wrth geisio canfod man addas i fyw a gweithio. Eiliadau tragwyddol y teithiau i fi oedd gwrando ar Vincent.

Ymlaen wedyn at Tommy Davies. Fe wnes i gyfarfod â Tommy ar fy ymweliad cyntaf yn 1996. Fe wnaethon ni yrru ar hyd y ffordd oedd yn arwain o Ddyffryn Camwy i'r Andes dros y Paith. Dyma aros ger ffarm o'r enw Hyde Park, yr enw wedi ei beintio'n wyn ar hen deier car. Hwn oedd cartref Tommy, ac yntau newydd ddathlu ei ben-blwydd yn 92 oed. Cnocio ar y drws a Tommy'n fy nghyfarch. Roedd ganddo fwstásh nobl dan ei drwyn. A dyma fe'n fy ngwahodd i mewn. Eglurais nad oedd gen

i lawer o amser, ond ei ymateb dyfeisgar oedd nad oedd
yna amser i fi fod ar frys. Gwrth-ddweud clyfar iawn.

Rhaid fu mynd i'r tŷ. Roedd y gegin wedi ei dodrefnu
â'r celfi gwreiddiol, naill ai wedi dod gyda'r teulu neu
wedi eu llunio ganddyn nhw. Roedd y tŷ ei hun yn 120
mlwydd oed. Roedd yn un o ddau frawd a fu'n rhedeg
y ffarm, ond roedd e bellach wedi gwerthu'r tir ond yn
dal i godi am saith bob bore er hynny. Ac ar unwaith
fe wnes i glosio at Tommy. Fel fi, roedd e'n ffoli ar
gig. I frecwast fe gâi ambell i wy estrys, hwnnw ddeg i
ddeuddeg gwaith yn fwy nag wy iâr. Wnes i ddim gofyn
iddo beth oedd maint y sosban!

Gadael Tommy Hyde Park wnaeth y rhaglen wedyn,
troi'r cloc yn ôl i 1996 a chael fy hun yn Nyffryn Camwy
i weld Ada Griffiths yn y Gaiman a chael fy nharo
ar unwaith gan niferoedd y tai te yno. Mae'r tŷ te yn
nodwedd amlwg o'r Wladfa. Pan alwais i yn Nhŷ Draw
i'r Avon roedd Ada wrthi'n rholio toes gan ddefnyddio
rholbren oedd yn gant oed – hen rolbren ei nain.

Roedd Ada, a hithau'n 86 oed, yn un o bedwar ar ddeg
o blant a hi oedd yr ail hynaf. Pan alwai cwsmeriaid
caent bum gwahanol fath o gacennau melys gyda'u te.
Deuai'r llaeth, yr wyau a'r hufen ar gyfer gwneud y
cacennau o ffarm y teulu i fyny'r ffordd mewn man
agored, gwyntog. Unwaith y dydd roedd Ada'n godro
a hynny allan yn y cae. Gallwn dyngu fy mod i wedi
camu'n ôl i'r Mynydd Bach ganrif ynghynt. Roedd y
gwartheg yn hynod dawel ac Ada'n hen law ar y gwaith
gan iddi gychwyn godro'n ddeg oed. Ac er nad o'n i
wedi godro â llaw ers tro byd, fe wnes i roi ychydig o

help iddi. Roedd hisian y llaeth yn erbyn ochr y bwced yn dihuno hen atgofion. I mewn â'r llaeth wedyn i'r gwahanydd neu'r *separator* – proses nad o'n i wedi ei gweld ers blynyddoedd. Dyna ble'r oedd Ada'n troi'r handl a'r hufen wedyn yn mynd ar gyfer corddi, a'r menyn a mwy o'r hufen yn mynd ar gyfer y gymysgedd toes fydde'n rhan o'r cacennau crwst blasus yn y tŷ te.

Billy Hughes, a'i wreiddiau yn Llanfair ym Muallt ac yn fab i Ifor ac Esther Hughes, oedd y nesaf i ni ei gynnwys ar y rhaglen. Roedd Billy, a fu'n byw gyda'i rieni yn Esquel, nawr yn byw ar stad newydd fflam yn y Gaiman ac yn gweithio fel rheolwr warws. Adre ar y ffarm, Cymraeg oedd iaith naturiol y teulu. Yn Gymraeg fydde Billy'n siarad â'i fam ar y ffôn, a Chymraeg oedd prif iaith y teulu bach – Billy a'i wraig a'r ddau blentyn – yn y cartref newydd er bod y plant yn ateb yn aml mewn Sbaeneg. Teimlai Billy fod yna nifer dda yn y Gaiman oedd yn medru'r Gymraeg ond amryw ohonyn nhw ddim yn dewis ei siarad. Ie, problem gyffredin i ninnau yng Nghymru.

Un o brif orchwylion Billy oedd teithio'r wlad yn dethol a didoli gwlân ar gyfer ei brynu, ac yna'n ei storio yn y warws. Fe es i gydag e, i ardal annisgwyl o ffrwythlon, diolch i'r cynllun dyfrio. O gyrraedd y ffarm, gwaith Billy oedd tynnu samplau o'r gwlân allan â bachyn er mwyn asesu ei ansawdd ac yna gynnig pris. Byddai'n ymweld â thua dau gant o ffermydd yn ystod y flwyddyn. Roedd gan y ffarm dan sylw tua dwy fil o ddefaid. Fe gawson ni weld pedwar bugail ar geffylau yn crynhoi rhai o'r defaid. Dyma'r *gauchos* chwedlonol. Fe wnaethon nhw fy atgoffa i o frodyr Nantllwyd fyny ar fynydd Tregaron 'nôl yn y pumdegau.

Fe esboniodd Billy fod yna gryn ymdrechion, drwy wahanol gymdeithasau, i gadw'r Gymraeg yn fyw. Yn ardal y Gaiman fe fydde criw o'r hogiau'n cwrdd bob nos Wener i sgwrsio ac i hybu'r defnydd o'r iaith. Roedd Billy yn ystod y blynyddoedd diwethaf wedi ymweld â Chymru bedair gwaith ac yn bwriadu mynd yn ôl yn fuan wedyn.

Yr amser gorau yn y Gaiman, fe sylweddolais i, oedd ben bore, ac yn gynnar iawn yn y dydd fe wnes i ymweld â Benito Owen ac Onnen Roberts. Roedd Benito yn rheolwr ffatri gaws a'i wreiddiau yn ardal y Bala. Tipyn o gymeriad. Gwraig ddibriod oedd Onnen, yn cadw siop bapurau yn y Gaiman, yn wir y siop fwyaf poblogaidd yn yr ardal honno. Siop gwerthu popeth oedd hi mewn gwirionedd. Roedd Onnen yn gymeriad ffraeth, yn fwrlwm o fenyw a chanddi ddywediadau lliwgar. Roedd hi'n rhan annatod o'r gymuned Gymraeg a Chymreig yn y Gaiman.

Bydde'r cyflenwadau llaeth yn cyrraedd ffatri Benito am hanner awr wedi saith y bore. Roedd ganddo staff o dri. Gan fod ei deulu yn berchen ffarm, byddai'n codi am bedwar bob bore i odro. Ar y ffarm, marchogaeth wnâi Benito wrth nôl y gwartheg a'u dychwelyd i'w porfeydd gwelltog. Yn y ffatri fe gymerai ugain diwrnod o brosesu o'r llaeth i'r cosyn gorffenedig. Roedd y ffatri'n cynhyrchu gwahanol fathau o gawsiau. Digon o ddewis.

Y cymeriad nesaf i fi ymweld ag ef oedd Bobi Jones, dyn â'i wreiddiau yn y Rhyl ac yn ffermio lle o'r enw Bryn Gwyn yn ardal y Gaiman gyda'i wraig, Evelyn. Ar ei dractor roedd Bobi, a newydd fod yn codi ffens newydd. Yma eto, y system ddyfrio oedd yr wythïen hollbwysig a wnâi gynnal y ffarm yn ogystal â'r ffarm nesaf hefyd. Gwartheg Swydd Henffordd oedd prif stoc Bobi, ynghyd â rhai Byrgorn. Bob blwyddyn byddai'n prynu cyfanswm o tua wyth cant o loi. Roedd y ffarm tua chan hectar ac roedd e'n ffermio un arall tua'r un maint.

Y tro diwethaf i Bobi fod yng Nghymru oedd yn 1991. Ond fydde fe ddim yn hapus yn byw yno. Gormod o bobol, medde fe. Esboniodd Evelyn mai yn ardal Dinas Mawddwy yr oedd gwreiddiau ei mam, a hynafiaid ei thad o Lanuwchllyn. Roedd ganddyn nhw ddwy ferch a mab. Roedd Oswald, y mab, adre ar y ffarm, a'r ddwy ferch wedi gadael cartre. Roedd y tŷ ffarm yn dyddio'n ôl i 1880.

Cadwai Bobi ddiadell o ddefaid gwlanog hefyd, pob un yn cario 16 cilo o wlân. Roedd y gwlân felly'n bwysicach na'r cig. Ac yma i Landŵr y daeth ei dad wedi iddo ymfudo. Fe aeth Bobi ati i dorri alffalffa, a hynny'n arwain at godi haid o fosgitos, a'r rheiny'n fy mrathu'n ddidrugaredd. Wir i chi, roedd y mosgitos yn y Wladfa gymaint o faint â'n gwenoliaid ni! Ac yn brathu fel Jac Russells. A dyma gofio fy ymweliad cynharach pan gwrddais â merched Penderyn, sef Sandra ac Ingrid, merched Owena Day. Dyma fi'n galw yn y fferyllfa yn y Gaiman, lle'r oedd Sandra'n gweithio, a gofyn am rywbeth i gadw mosgitos draw gan eu bod nhw'n fy mwyta'n fyw. Ei hymateb oedd:

'Mae angen lot o fosgitos i dy fwyta di, Dai Jones!'

Ew, dyna i chi hyfdra! Roedd teulu Penderyn yn dal i ddefnyddio hen ffwrn wal yn yr ardd lle'r oedden nhw, yn ôl Sandra 'yn gwneud pwdin reis i bobol neis'!

Fe wnaethon ni oedi mewn llecyn a elwid yn Bant March. Yn ôl y chwedl, pan gyrhaeddodd y fintai gyntaf roedd march gwyllt ac anystywallt yn creu trafferthion yno. Ac fe lynodd y stori a'r enw.

Yr alwad nesaf oedd gydag Emrys Jenkins yn Nhir Halen. Roedd hi'n grasboeth, ac Emrys wrthi'n brandio a thagio lloi gyda'i feibion. Doedd e ddim yn cael fawr o gyfle i siarad Cymraeg oherwydd doedd ei wraig na'i feibion ddim yn siarad yr iaith. Fe briododd yn 1957 ac o hynny ymlaen ni chafodd fawr o gyfle i ymarfer yr iaith. Ond daliai i siarad iaith ei dadau yn rhugl a gloyw. Yn wir, yr unig gyfleoedd prin fyddai pan ymwelai â'i fam, neu pan wnâi ei fam ymweld ag ef, neu pan fydde ei fam yn ei ffonio. Cyn i fi gyrraedd doedd e ddim wedi siarad Cymraeg ers tair blynedd.

Roedd Emrys yn codi cnwd enfawr o India corn, pwmpenni a thatws yn dunelli, a'r cyfan at ddefnydd y cartref. Ac yna'r hyn roeddwn i wedi ei hir ddisgwyl, yr *asado*, sef gwledd o gigoedd o bob math wedi'u rhostio yn yr awyr agored. Eli i'r galon. Ac i'r stumog!

Mae ambell un wedi edliw i fi fy edmygedd o Gymry Patagonia gan ddweud fy mod i'n mawrygu ymfudwyr, yn wir gwladychwyr. Teimlant fod pobol fel fi yn gorramantu. Mynnant ymhellach fy mod i ac eraill yn anghyson wrth fod yn feirniadol o Saeson sy'n ymsefydlu yng Nghymru, tra'n bod ni'n edmygu mewnfudwyr o Gymru ym Mhatagonia. Mae yna wahaniaeth mawr. Mynd ar wahoddiad Llywodraeth Ariannin wnaeth y Cymry. Roedd Llywodraeth Ariannin am weld mewnfudwyr yn ymsefydlu mewn rhannau o'r wlad lle'r oedd y boblogaeth yn wan. Pennwyd can milltir sgwâr o dir yn ardal Chubut ar gyfer y Cymry. Ond gan mai tir gwael oedd hwn, bu'n rhaid crwydro i chwilio am fannau mwy addas. Heb unrhyw amheuaeth, roedd yr ymfudwyr cynnar yn arloeswyr ac yn arwyr. Ond mynd ar wahoddiad wnaethon nhw. O ran ymfudwyr i Gymru, does ganddon ni ddim dewis.

Yr hyn wnaiff oedi am byth yn y cof, wrth edrych yn ôl ar fy nau ymweliad â'r Wladfa, yw gloywder Cymraeg pobol fel Emrys Tir Halen. Mae hi'n wyrthiol fod yr iaith wedi goroesi o gwbwl yn y Wladfa, heb sôn am Gymraeg mor bur. Dyw'r iaith yno ddim wedi cael ei glastwreiddio a'i llygru. Rwy'n teimlo'n freintiedig i fi gael cyfle i dreulio amser yng nghwmni disgynyddion y Cymry alltud. Wna i byth anghofio pobol y Wladfa tra bydda i byw.

7

Adnabod Cymru'n well

FE FUES I'N ddigon ffodus yn ystod fy ngyrfa ym myd y cyfryngau, fel y nodais, i gael teithio'r byd a gweld ei ryfeddodau. Ond beth bynnag ddywed neb, mae hen rigwm bach pert Eifion Wyn yn dal yn wir, hwnnw am droi'n alltud a dod yn ôl i Gymru a'i charu'n well. Ydy, mae'n ystrydeb ond dyw hynny ddim yn golygu nad yw'n dal yn wir. Yn ystod y ddau ddegawd diwethaf, parhau wnaeth y teithio ledled Ewrop, Canada, Seland Newydd, Patagonia a mannau pellennig eraill. Gweld rhyfeddodau'r gwledydd pell. Ond yma wrth fy nhraed y mae'r rhyfeddodau mwyaf.

Mae amryw wedi gofyn i fi dros y blynyddoedd ble mae fy hoff fannau yng Nghymru. Fe fyddaf inne'n rhoi'r un ateb bob cynnig – yr ardal agosaf at fy nghalon yw Sir Drefaldwyn. Rwy wedi profi cyfeillgarwch a charedigrwydd ym mhob sir yng Nghymru, ond mae yna rywbeth arbennig am Sir Drefaldwyn. Dydi pobol ddim ar gymaint o frys yno rywfodd. Mae yna amser i ystyried pethe.

Yn nyddiau cynnar *Cefn Gwlad* fe ges i fy mhlannu

yng nghanol pobol fel William, Cae'r Berllan, a Richard, ei frawd. Don Garreg Ddu wedyn. Mae yna gyfoeth o arferion a dywediadau bachog yno. Pan fyddwch chi'n trafod amaethyddiaeth gyda rhywun, busnes yw'r peth pwysicaf bob amser. Ond ddim gyda'r rhain. A'r acen unigryw, rwy wrth fy modd yn gwrando arni. Yn y byd eisteddfodol wedyn, Eisteddfod Powys sy'n sefyll allan. Roedd yno ryw gynhesrwydd bob amser, rhyw gyfeillgarwch sy'n anodd ei ddisgrifio.

Un o'r rhaglenni mwyaf cofiadwy fu ymweliad *Cefn Gwlad* â'r fro hyfryd rhwng y ddwy Aran yn 2001. Y bwriad oedd croesi'r llwybr rhwng y ddau gopa, o Lanymawddwy i Lanuwchllyn ar droed. Mae'r naill, Aran Fawddwy, yn 2,969 troedfedd o uchder a'r llall, Aran Benllyn, yn 2,904. Roedd hi'n ddechrau gwanwyn a'r wlad ar ei gorau dan heulwen. Fedrwn i ddim peidio dwyn ar gof awdl fawr Dic Jones, 'Gwanwyn'. Ac yn ystod y rhaglen yma ac acw, fe glywid Côr Godre'r Aran yn lleisio geiriau hyfryd Dic. Fe agorwyd y rhaglen gyda chaniad darn o gywydd sy'n cyfeirio at drymder gaeaf a'r hirddisgwyl am y gwanwyn:

Pan ddaw eirlaw yr hirlwm
Ar sguboriau lloriau'n llwm,
Mor hir yw'r tymor eira,
Mor hwyr yn dyfod mae'r ha'...

Gwynt claddu yn chwythu'n chwyrn
Drwy y wisg hyd yr esgyrn.

Hawdd oedd dychmygu Cwm Cywarch, sef dechrau'r

daith, wedi ei gloi dan eira. Ond yna ceir arwyddion o'r gwanwyn ar yr awel:

Ond y mae newid ym min ei awel
A lleuad arall ar y llwyd orwel,
Fe gwyd y bustych eu pennau'n uchel
A phrancio o ffroeni y cyffro anwel,
Mae llais rhyw gymell isel – yn dangos
Y ffordd i'r rhos ac i ffwrdd o'r rhesel.

Man cychwyn y daith oedd tyddyn yr efeilliaid Robat a Beti Williams, Plas Penbont uwchlaw Llanymawddwy. Yno roedd Beti yn godro un o'r Gwartheg Duon allan ar y cae. Fe fu'r profiad fel camu'n ôl i'r Gymru Fu ddwy ganrif yn gynharach. Roedd Beti a Robat yn cadw ychydig wartheg a defaid, ac os mai Beti oedd yng ngofal y gwartheg, a hynny'n golygu godro allan yn yr awyr agored wrth droed yr Aran, y defaid oedd ffefrynnau Robat. Fe gofiai Beti rigwm am y mynydd enfawr oedd uwchlaw ei chartref:

Gwnes destun cân eleni
I Aran Fawddwy fawr,
I ddangos sut un ydi,
Mi draethaf i chwi nawr,
Mae'n fynydd ar ben mynydd
Yn uchel iawn i'r nen,
A llawer o hen Gymry
Sy'n hoffi mynd i'w phen.

Er mor unig oedd y fangre, roedd yr efeilliaid yn gyfarwydd â gweld cerddwyr yn mynd heibio. Ond doedden nhw fawr ddim trafferth, medde Beti. Ac yn ôl Robat roedden nhw'n cadw at y llwybrau'n o lew. Roedd hon yn daith gyfarwydd i'r ddau a oedd wedi byw yno gydol eu hoes ac wedi cerdded yr hen lwybrau ganwaith. Mae'r prif lwybr yn arwain allan am Ddrws-y-nant a Rhyd-y-main. I'r cyfeiriad arall, y pentref agosaf fydde Dinas Mawddwy a'r dref nesaf, Dolgellau. Un atynfa reolaidd i Robat oedd y sêl ddefaid bob dydd Gwener yn Nolgellau. Doedd ganddyn nhw ddim dyfeisiadau modern, dim hyd yn oed teledu. Fe aethon nhw i Dywyn yn unswydd ar gyfer prynu set deledu er mwyn medru gweld eu hunain ar *Cefn Gwlad*.

Roedd cyfarfod â Beti a Robat yn fy atgoffa o raglen o'r gyfres gyntaf a wnaed o *Cefn Gwlad* gyda brawd a chwaer arall sef Huw a Catrin Pugh yng Nghwm Ffernol, Cwm Maethlon ger Pennal. Roedd hithau, Miss Pugh, yn un o'r hen Gymry. Cyn cychwyn ffilmio fe fydde'n rhaid i ni adael ein sigaréts ar fwrdd y gegin. Doedd dim smocio i fod, rhag tarfu ar Siani'r fuwch yn y beudy. Fe fydde mwg sigaréts yn rhoi canser i Siani fach. Roedd hithau'n un o'r hen deip, gydag enwau ar bob dafad a buwch.

Richard Davies, Warden tymhorol y mynydd, wnaeth fy nhywys ar hyd y llwybrau rhwng y ddwy Aran. Er mor dderbyniol oedd y tywydd braf, roedd hi'n argoeli i fod braidd yn boeth i gerdded. A cherdded oedd ein bwriad, sef dilyn y llwybr draw i Lanuwchllyn, taith o ddeuddeng milltir. Yn ffodus fe fydde awel ar y llethrau o'n blaen. O leiaf dyna oedd y gobaith. Hynny, a dim glaw.

Cwm Cywarch oedd y man cychwyn naturiol i gerddwyr dros yr Aran. Bant â ni, ac yn fuan dyma gwrdd â Hedd Puw ym Mlaen y Cwm a'i ddiadell newydd gael eu cneifio. Gyda'r ardal mor greigiog nid dyma oedd y man hawsaf i grynhoi defaid, mae'n siŵr gen i. Yma y codwyd teulu ei wraig, ond dim ond pedair blynedd oedd ers i Hedd ymsefydlu yno. Bellach roedd yna obaith am olyniaeth drwy'r plant, Dewi ac Owain.

Erbyn i fi orffen sgwrsio â Hedd roedd Richard wedi cerdded ymlaen a rhaid oedd ceisio'i ddal. Mae gan bawb ei wendid, a'm gwendid i erioed fu clebran, a hynny'n golygu gwastraffu amser. Ond ymlaen ac i fyny â ni am Graig Camddwr ac erbyn hyn roedd hi'n codi'n wres. Dyma gyrraedd ardal redynog a chofio hen rigwm:

Aeth Wil Rhydyfro
I hela ryw dro
Ond mi gollodd ei ffordd yn y rhedyn.

Ymlaen ac i fyny â ni. Ie, mwy o ddringo a sylwi bod traul ar y llwybr – arwydd fod yma gryn ddefnydd ohono. Ond doedd dim i'w glywed ond brefiadau defaid yn galw ar eu hŵyn. Syndod oedd gweld cymaint o dir mynydd wedi ei addasu gan ffermwyr lleol. Dyma sylweddoli hefyd mor anodd oedd yr Aran i ffermwyr hel neu grynhoi eu defaid. Rhaid fydde cael criw go lew i wneud hynny. Erbyn hyn roedd yr hen frest yn tynnu, yn enwedig wrth orfod dringo dros gamfeydd hynod o uchel dros y waliau cerrig.

Yn ôl Richard, doedd yna ddim gwrthdaro rhwng y ffermwyr a swyddogion y Parc Cenedlaethol. A dyma gyrraedd Craig Cywarch, a oedd i'w gweld mor fach o'r pellter. Yn rhedeg heibio roedd llwybr ac iddo enw hanesyddol sef Llwybr Llywelyn. Neb i'w gweld ond ni. Y nodwedd amlycaf yma, fel y nododd Richard, oedd unigedd. Erbyn hyn ro'n i ar glem, a'm stumog yn tyngu bod rhywun wedi torri fy nghorn gwddw. Ymlaen â ni drwy'r rhedyn, a phorfa'n brin, ond roedd arwyddion y bydde yna gnwd da o lus. Wrth i'r llwybr gulhau, dyma gofio emyn mawr Pantycelyn, 'Cul yw'r llwybr i mi gerdded...'.

Roedd angen cryn gynnal a chadw ar y llwybrau. Dŵr, yn ôl Richard, oedd y gelyn mawr, a hwnnw'n erydu'r tir. Ie, 'y glaw o'r mynydd yn treiglo'r meini,' chwedl Dic Jones eto. Dyma gyrraedd copa Cywarch ac at ffin dwy ffarm, Rhos y Bont a Blaen Cywarch. Roedd tir caled dan draed o'r diwedd a'r llwybr o'n blaen yn glir, a chopa Aran Fawddwy i'w weld ar y gorwel. A phlu'r gweunydd yn dawnsio yn y gwynt. Synnwn fod y tir mor sych, ond yn y gaeaf gallai fod yn gorsiog iawn, yn ôl Richard. Roedd digon o adar mân o gwmpas ond dim grugieir erbyn hyn. Ymlaen â ni, gan deimlo bod Duw wedi ei methu hi o beidio â rhoi i fi goesau hirion. Yn hytrach, fe roddodd i fi dafod hir. Roedd yr hen ysgyfaint yn tynnu fel megin erbyn hyn ond yna, dyma'r haul yn ymddangos a'r wlad i'w gweld yn ei holl ogoniant.

Yn sydyn dyma daro ar rywbeth annisgwyl. Yma ac acw roedd gweddillion awyren *de Haviland Mosquito* a drawodd ysgwydd y mynydd ar 9 Chwefror, 1944 gan ladd y criw bob enaid. Roedd darnau o'r awyren fel broc môr yma ac acw, ac ar un darn roedd y geiriau arwyddocaol 'No survivors' wedi eu cofnodi. Roedd hon yn daith anodd. A dyma gofio rhigwm arall, gan Beti Williams, Plas Penbont:

Roedd rhyw hen wraig yn brwyno
Ar ochr Bwlch y Groes,
Am fynd i ben yr Aran
Am unwaith yn ei hoes,
Ac ar ôl mynd i fyny
Ac edrych ar i lawr
Ni chredai neb cyn hynny
Fod yr hen fyd mor fawr.

Cyn cyrraedd copa Aran Fawddwy rhaid fu cael stop i dynnu anadl. Oddi tanom roedd y Drysgol a tharddle afon Dyfi. Roedd y gorwel yn ymestyn o'n cwmpas, yr Wyddfa i'w gweld o'n blaenau a Bannau Brycheiniog o'n hôl. Cofiais englyn mawr Dewi Emrys i'r gorwel:

Wele rith fel ymyl rhod – o'n cwmpas,
  Campwaith dewin hynod.
  Hen linell bell nad yw'n bod,
  Hen derfyn nad yw'n darfod.

Cofiai Richard enwau rhai o'r mannau oddi tanom, yn eu plith, Cadair Bronwen a Chadair y Berwyn. Wrth i ni gyrraedd y copa, ces fy synnu at y cannoedd a miloedd o gerrig yn gorwedd o gwmpas. Ie, unigedd. Neu fel dywedodd Richard, gan ddyfynnu J. Glyn Davies: 'Lle i enaid gael llonydd'. Gallwn weld Llangadfan yn y pellter, cwm Nant yr Eira a'r Foel, a finne'n cofio geiriau'r hen gân honno fues i'n ei chanu mewn cyrddau cystadleuol ac eisteddfodau gynt:

Mi dreuliais flynyddoedd fy ie'nctid
Yn fugail rhwng bryniau fy ngwlad,
Fy niwyg oedd lwm a diaddurn,
Fy mynwes oedd lawn o fwynhad;
Fe'm curwyd gan stormydd y gaeaf,
Fe'm llethwyd gan boethder yr haf,
Diddorol er hynny fu'r cyfnod
A'i gofio yn felys a wnaf.

Ar y copa'n disgwyl amdanom roedd Trefor Esgair-clawdd gyda'i gi defaid. Yma oedd terfyn ffarm Nant y Barcud ym mhlwyf Llanuwchllyn. Yma y deuai Trefor i fugeilio unwaith bob pythefnos neu dair wythnos. Cerdded, wrth gwrs. Doedd hwn ddim yn lle i gerbyd o unrhyw fath. Ddim hyd yn oed i ferlen. Câi'r defaid eu gadael ar y mynydd drwy'r gaeaf ar wahân i'r rheiny fydde'n wyna. Câi'r rheiny eu gyrru lawr bythefnos cyn yr enedigaeth. Gerllaw, safai carreg fawr a adnabyddid fel Y Fuwch Ddu. Doedd hi ddim yn ymddangos fel buwch. Ond o'r pellter, a'r haul yn disgleirio arni o'r cyfeiriad iawn, fe edrychai'n union fel buwch, yn ôl Trefor.

Esboniodd ymhellach fod ffermwyr y fro wedi sefydlu Cymdeithas Gwarchod y Ddwy Aran. Dyma ni'n cyfeirio at yr atyniadau tramor y bydd pobol yn heidio i'w gweld. Ond mynnai Trefor na wnâi ffeirio unrhyw olygfa'n y byd am hon. Ro'n inne'n dechrau deall pam fod cymaint o gerddwyr yn tynnu tua'r mynydd. Fe wnaeth Richard fy atgoffa ei fod e'n medru mwynhau'r golygfeydd hyn bob dydd. Pam ddylai e felly geisio atal pobol eraill rhag mwynhau golygfeydd oedd yn agored iddo ef? Doedd dim lle i hunanoldeb, medde Trefor.

Cyrraedd Aran Bach wedyn, rhwng y ddau gopa, a chanfod tyfiant gwahanol a llai o gerrig. A rhwng y cerrig, canfod planhigyn a gaiff ei adnabod fel Corn Carw. Ac yna, a ninnau wedi cerdded tua phum milltir, roedd copa Aran Benllyn o'n blaen. Diolch i Dduw – nid yn gymaint am y golygfeydd ond am ein bod ni wedi cyrraedd y brig. Daethom at wal a elwir y Wal Lwyd, a chysylltiad rhyngddi a'r Gwylliaid Cochion. Ac ar y copa, roedd creigiau tal yn atgoffa rhywun o Gylch yr Orsedd. Ar i lawr fydde hi bellach. Ond ar y brig roedd carn o gerrig oedd yn ganlyniad i bobol yn gosod carreg ar ben carreg ar hyd y blynyddoedd. Eisteddodd y ddau ohonon ni ar ben y garn i dynnu anadl, ac atgoffa'n gilydd ein bod ni'n agosach i'r Nefoedd nawr nag y buon ni ers tro. Chwe milltir arall i Lanuwchllyn, a Llyn Tegid fel pwll hwyaid, yn wincio arnon ni i lawr yn y gwaelod, a'r ffordd o Ddolgellau i'r Bala'n ymestyn yn rhuban hir. Edrychwn ymlaen am baned yn Llanuwchllyn.

Daeth cyfle wedyn i oedi yng nghwmni Jac Nant Barcud. Roedd Jac yn aelod o Gôr Godre'r Aran a'i wraig, Gwenfair, yn aelod o Gôr Merched Uwchllyn. Roedd Jac yn cadw tri dwsin o hyrddod Cymreig, a dyma finne'n rhoi rhyw help i Jac a'r bois i'w corlannu a'u didoli. Yno y bu Jac erioed, gyda dau fab bellach yn helpu a dwy ferch yn dal ym myd addysg. Cawsom gip ar y Gwartheg Duon ynghyd ag ambell un wedi'i chroesi â Charolais. Roedd Jac yn ddigon hapus ei fyd, heb iddo fod i ffwrdd ond unwaith yn America a Chanada gyda'r côr. Ac yno, hiraethai am yr Aran. Na, doedd 'unlle fel Aran Benllyn'.

Disgyn yn is wedyn, cyn i'r tywydd droi, i weld un o gymeriadau ffraeth y fro, Dewi Talardd. Roedd hi'n syndod ei ganfod gartre wrth iddo gyrraedd yn ei gar tair-olwyn ar ôl bod draw yn y Bala. Aethom i mewn i'r gegin am sgwrs, a Harri'r ci yn ein dilyn, ac eistedd wrth danllwyth o dân, anghenraid yn y gaeaf, neu 'Nymbar wan' o ran anghenraid i Dewi. Bu Dewi'n gweithio am sbel gyda'r Comisiwn Coedwigaeth. Mecanyddiaeth oedd ei ddiléit mawr sef 'ffidlan gyda hen injans'. Doedd ganddo ddim trydan confensiynol yn y tŷ. Byw oedd e, medde fe, ar yr hyn fydde pobol eraill yn ei luchio i ffwrdd. Fe osododd ei gynllun trydan ei hun, ac roedd Dewi'n llym ei feirniadaeth o'r fyddin o fiwrocratiaeth sy'n gwneud bywyd pobol fel fe yn uffern. Gwell a rhatach, medde fe, fydde talu iddyn nhw dynnu'r dôl.

Doedd Dewi ddim yn rhyw hoff iawn o'r gymdeithas fodern. Roedd dyfodiad y car wedi difetha cymdeithas, ond doedd y tir o gwmpas yr Aran ddim wedi newid, medde fe. Y bobl oedd yn byw yno oedd wedi newid. Doedd yr hen fynyddoedd ddim wedi newid dim. Er hynny, doedd e ddim yn ystyried symud gan gofio'r hen ddywediad am y cyw a fegir yn Uffern. Ond roedd y fangre hon yn debycach i'r Nefoedd nag i Uffern.

Ymlaen â fi a chael cipolwg ar y gorffennol wrth wylio gwladwr, Seimon Jones, Tan-y-bwlch wrthi'n torri mawn. Nid gwneud hynny i'r camera oedd e. Na, roedd Sei, oedd yn storïwr tan gamp, yn dal i gynnal yr hen arferiad. Ailgydio yn yr arferiad wnaeth e, a hynny tua phymtheng mlynedd yn ôl. Ers talwm, byddai'n helpu i gyflenwi pob ffarm a thyddyn yn y fro, ond erbyn hyn, digon oedd rhyw un llwyth ar ei gyfer ei hun. Gynt, bydde llwyth o fawn a llwyth lawer llai o lo, ynghyd â llwyth o goed, yn ei gynnal drwy bob gaeaf.

Perthynai Seimon i hen deulu oedd wedi byw yno ers canrifoedd. Roedd hen hen daid iddo yn byw yno yn 1707. Ar ôl mynychu'r ysgol fach ac yna Ysgol Tŷ Dan Domen yn y Bala, bugail fu Seimon. Ond fe anesmwythodd, gydag awydd yn codi ynddo i weld y byd. Aeth i Loegr am un gaeaf. Ond adre y daeth. Ie, Seimon Jones, un oedd yn gwybod ystyr hen wehelyth. Dyma gofio geiriau Dic unwaith eto:

Tra bo hen dylwyth yn medi'i ffrwythau
A chnwd ei linach yn hadu'i leiniau,
Tra delo'r adar i'r coed yn barau,
Tra poro corniog, tra pery carnau,
Bydd gwanwyn y gwanwynau – yn agor
Ystôr ei drysor ar hyd yr oesau.

Galw wedyn i weld Arwyn Roberts oedd yn ffermio yn Wern Fawr ac yn gorfod cael peiriant isel wyth olwyn arbennig i fynd i fyny'r Aran ar gyfer cario pyst i gadw'r terfynau'n daclus. Fe ges i gyfle i'w yrru dros y llethrau serth, a thipyn o helynt gyda'r tractor Hill Farmer. Yn ffodus, doedd dim angen rifyrso. Nid hwn oedd unig beiriant Arwyn. 'Nôl wrth y tŷ roedd hen dractor a fu'n contractio'r ardal ers talwm, gyda Tommy Roberts o'r Wern Fawr yn gyrru. Roedd e'n dyddio'n ôl i 1936. Fe gostiodd tua £600 bryd hynny. Fe fu'r hen beiriant Field Marshall yn crwydro ffermydd y fro. Cyrraedd gyda'r trên wnaeth y tractor mawr i stesion Dolgellau. Dyma geisio'i danio, a finne'n gorfod troi'r handl. Roedd angen nerth bôn braich go sylweddol. A wir i chi, dyma fe bant, yr hen Farshall, yn popian gystal ag y gwnaeth erioed, gan ail-greu synau fu'n gyffredin iawn ar hyd y fro ddegawdau'n ôl.

Galw nesaf gyda hen lanc arall, Dei Rhyd-sarn, dyn diwyd, ffermwr deche ac aelod arall o Gôr Godre'r Aran. Roedd e wrthi'n gyrru rhai o'r lloi i un o'r caeau adladd i'w pesgu pan alwes i. O'u pesgu fe gaen nhw fynd i'w gwerthu i Lanelwy neu Groesoswallt.

Fe aeth Dei ati wedyn i ffensio, a hynny fel lladd nadrodd, fel petai e'n cael ei dalu wrth y funud. Ffensio oedd e ar gyfer dod â'r defaid lawr o'r Aran. Fe gaent eu gwerthu wedyn yn y Bala. Er ei fod e'n aelod o'r côr, doedd e ddim wedi medru mynd ar y teithiau tramor gan ei bod hi'n anodd iawn cael rhywun i gymryd ei le ar y ffarm. Ond wrth ffensio, fi oedd ei was bach, yn gorfod rhedeg 'nôl a blaen i nôl y bocs staplau, yr ordd neu'r drosol. Cofiai Dei'n dda hen arferiad yr oesoedd o yrru'r defaid i'r Aran dros yr hafau a dod â nhw 'nôl i lawr at y gaeafau.

Ac yno yn Rhyd-sarn y bu pen y daith a roddodd i fi'r cyfle i gyfarfod a sgwrsio â rhai o bobol ddiddorol rhwng Aran Benllyn ac Aran Fawddwy. Fe olygodd lawer o gerdded a chwysu. Ond nid peth drwg i rywun fel fi oedd colli pwysau ac fe fu'r cyfan yn werth chweil. Dyma un o'r mannau hyfrytaf a grëwyd gan Dduw.

Ie, lle i enaid gael llonydd yn wir.

8

Gwaith a gorffwys

YN AML WRTH weithio ar *Cefn Gwlad* fe fydda i'n teimlo'n freintiedig o gael cyflwyno a bellach gynhyrchu'r rhaglenni. Nid pawb o bell ffordd all ddweud eu bod nhw'n cael eu cyflogi i wneud yr hyn maen nhw'n ei fwynhau fwyaf. Yn wir, mae yna euogrwydd hefyd o feddwl fy mod i'n cael fy nhalu am y mwynhad hwnnw. Nid bod yr euogrwydd hynny'n para'n hir i Gardi!

Ond dyna yw *Cefn Gwlad* i fi, nid gorchwyl ond rhywbeth rwy'n mwynhau ei wneud, gan geisio trosglwyddo'r mwynhad personol hwnnw drwy'r sgrin fach ac i'r gwylwyr. Un o fendithion gweithio ar y rhaglen yw'r ymweliadau â gwahanol ardaloedd ledled Cymru. Ac yn aml, mwynhad mwy na'r ffilmio yw cael ymlacio o lygad y camera a chael cyfle i gwrdd â phobol leol dros baned neu beint gyda'r nos. Ac yno'n hamddenol, cael hanes y fro a'i chymeriadau. Mae rhywun yn teimlo ei fod yn freintiedig, yn cael bod yn rhan o'r ardal, gan siario profiadau a hyd yn oed gyfrinachau pobol. Ar adegau fel hynny mae gwaith a gorffwys, chwedl yr emynydd, yn mynd yn un.

Bob tro y bydda i'n mynd allan i ffilmio rhaglen fe fydda i'n mynd i fyd arall, byd gwahanol. Mae edrych am stori'n golygu crwydro'r wlad i geisio canfod pobol, mannau a gweithgareddau diddorol. Mae gan bawb ei stori. Mae gan bob ardal ei nodweddion. Chwiliwch chi amdanyn nhw, ac fe wnewch chi eu canfod nhw. Fel y dywedodd yr efengyl Mathew, 'Ceisiwch, a chwi gewch. Gofynnwch, a rhoddir i chwi. Curwch, ac fe agorir i chwi.' A dyma'r fraint fwyaf, sef cael cwrdd â phobol a sgwrsio â nhw yn eu cynefin, boed hynny ar gamera neu allan o olwg y lens.

Weithiau daw *Cefn Gwlad* â bonws ychwanegol sef y cyfle i gyfuno mwy nag un o'm diddordebau. Fe ddigwyddodd hynny yn 2010 gyda chyfuno ffermio, canu ac, wrth gwrs, gyflwyno. Mwynhau cael cyfle i gyfuno pobol â'u bro a'u diddordeb mawr sef canu. Testun y rhaglen ddogfen oedd 'Hogiau Bryniog'.

Mae teulu'r Bryniog ym Melin-y-coed, Dyffryn Conwy, yn deulu nodedig iawn, yn bump o fechgyn, y pump yn gantorion, ac un ferch. Er mai Davies yw eu cyfenw, fel Hogia Bryniog y cân nhw'u hadnabod gan bawb, gan iddyn nhw gael eu codi ym Mryniog Uchaf ac yno y ganwyd rhai ohonyn nhw.

Mae rhestru enwau'r teulu fel darllen catalog – Tom, Jac, Dai, Arthur a Gwilym. Ac yna'r unig chwaer, Ann. Tom ddaeth i amlygrwydd gyntaf wrth iddo ennill y Rhuban Glas ym Mhrifwyl Dyffryn Lliw gan ganu o 'Gwledd Belshazzar', cantata gan William Walton. Ac roedd gwrando ar Tom yn canu 'Cân yr Arad Goch' bob amser yn hela ias lawr fy asgwrn cefn. Nid yn unig canu'r gân wnâi Tom ond roedd e hefyd yn byw'r geiriau fel ffermwr diwyd a chydwybodol. Yn dilyn y fuddugoliaeth yn Nyffryn Lliw yn 1980 daeth galwadau di-ri iddo ymddangos ar lwyfannau, yn bell ac agos. Anodd iawn fydde curo Tom o ran canu oratorio. Yn Eisteddfod y Bala wedyn fe ganodd 'Brad Dynrafon' gan D. Pughe Evans ac fe gododd y to. Rwy'n siŵr fod defaid oedd yn pori cyn belled â Llanuwchllyn wedi codi eu pennau i wrando. Baritons yw'r brodyr oll ar wahân i Arthur, y tenor. Jac yw'r cerddor mwyaf ond mae pob un, rywbryd neu'i gilydd, wedi bod yn aelod o wahanol gorau.

Llefarydd y teulu ar gyfer y rhaglen oedd Dai. A dyna i chi lefarydd. Prin wnewch chi glywed Cymraeg mor rhywiog a deallus gan unrhyw un. Yn ôl Dai, oedd yn ffermio Gorsedd Drycin, Arthur, yr ail frawd, oedd y lwmpyn clai gafodd ei dad yn ei law, medde fe. Fe ddysgodd Arthur y sol-ffa yn gynnar iawn gan fynd ymlaen i ennill sawl gwobr. Ac ef fydde, yn hogyn, yn canu fwyaf o blith y brodyr. Ef fu'n sbardun i Tom.

Jac oedd y nesaf, a'r tawelaf o'r teulu. Ond medde Dai, 'Tawelaf yr afon, dyfnaf ei lli.' Roedd Jac yn bianydd ac yn gerddor o'i gorun i'w sawdl. Ef fydde'n hyfforddi plant Melin-y-coed ar gyfer cyngherddau, eisteddfodau a chanu carolau Nadolig.

Dai oedd yn dod wedyn. Ond doedd ganddo fawr ddim i'w ddweud amdano'i hun. Gwell oedd ganddo fynd ymlaen i sôn am y nesaf, sef Gwilym. Roedd hwnnw wedi priodi ac wedi symud i ffarm Maes y Pandy yn Abergynolwyn, gan weithio hefyd i John Tudor y Fet. Roedd e'n aelod o gôr Parti Meibion Dyfi. Mae Gwilym yn ôl bellach yn yr henfro.

Ac yna bach y nyth, y chwaer, a oedd yn byw yn ardal y Bala. A barn Dai oedd y gallai fod yna ugain o blant ar aelwyd Bryniog oni bai am ddyfodiad Ann. Ond dynes arall oedd brenhines yr aelwyd, sef y fam. Hi, yn ôl Dai, oedd asgwrn cefn y teulu ond yn mynnu llai o sylw na neb. Ni allai Dai feddwl sut fu hi'n bosib iddi ddod i ben â'i holl waith heb fawr gymorth naill ai gartre yn y tŷ neu allan. Y fendith fwyaf iddi, medde Dai, fu'r peiriant golchi dillad. Roedd hi bellach yn byw gerllaw ym Mwthyn Bryniog ar gyrion Melin-y-coed.

Dyma gyfle wedyn i gael sgwrs â Tom. Codi wal gerrig oedd e ac yn falch i gael ysbaid er mwyn mynd â fi o gwmpas y pentre bach yn Nyffryn Conwy, nid nepell o Lanrwst. Y ganolfan oedd y capel a'r festri, lle bu'r teulu'n addoli erioed a lle canodd Tom yn gyhoeddus am y tro cyntaf. Roedd e'n cofio'r pengliniau'n crynu. Cofiai'r cyfeilydd yn dda hefyd, sef David Jones. A hwnnw'n gorfod chwarae'r rhagarweiniad ddwywaith neu deirgwaith cyn i'r plentyn nerfus lwyddo i gychwyn.

Cofiai fynd i'r ysgol, sef Ysgol Nant y Rhiw. Ond dysgodd ormod o gastiau yno, medde fe, ac ar ôl blwyddyn symudwyd ef i Ysgol Llanrwst. Dyma ni'n pasio'r tŷ lle bu un o ddwy siop y pentre, sef Siop Ucha. Yma y bu Joni Jones, neu Yncl Joni, yn gweini tu ôl i'r cownter. Roedd gan Joni dant arall i'w ffidil, yn llythrennol. Roedd e'n gerddor medrus a chwaraeai alawon ar y piano er gwaethaf anaf drwg pan oedd yn blentyn a cholli bysedd ei law chwith. Wnaeth hynny mo'i atal rhag bod yn bianydd da. Addasodd y ffidil hefyd fel y gallai ddefnyddio bysedd ei law dde i wasgu'r llinynnau. Teimlai Tom yn ddyledus iawn iddo.

'Nôl yng nghartref Tom, sef Bryniog Plas, roedd Llew, un o'r cŵn defaid, yn hepian yn yr haul. A dyma gael jobyn yn syth i helpu Tom gyda'i dasg o godi'r wal gerrig. Oedd, roedd Tom, yn ogystal â bod yn ffermwr ac yn ganwr, hefyd yn grefftwr. Esboniodd fod Llew, y ci defaid, yn llinach y cŵn coch y bu'r teulu'n eu cadw ar hyd y blynyddoedd. Roedden nhw o linach arbennig, cŵn a fyddent yn fodlon gweithio drwy'r dydd. Fe wnes i ffansïo ci bach oedd ymhlith torred oedd wedi eu geni'n ddiweddar ond roedd y rheiny eisoes wedi'u gaddo i rywrai. Rhaid fydde disgwyl am dorred arall.

Yn ogystal â thir Bryniog Plas roedd gan Tom dir ar rent i fyny'r topiau lle byddai'n gyrru rhai o'r gwartheg dros yr haf. I fyny â ni felly, i ddarn o fynydd Gwilym Jones, neu Gwilym Rhos, yng nghysgod Moel Siabod, ac wrth yrru, roedd Tom yn canu cân wladgarol am Lywelyn, Ein Tywysog Olaf Un.

Roedd hon yn rhaglen oedd yn tanlinellu nodwedd arall o *Cefn Gwlad* sef y cyfle i roi sylw i wahanol dafodieithoedd. Ac am fy mod i'n dueddol o lithro i dafodiaith pwy bynnag fydda i'n ei holi, mae tafodiaith, i fi, lawn mor bwysig â'r iaith ei hunan. Mae'n arddangos ein arwahanrwydd fel pobol. Ac ar y topie dyma fi'n sôn wrth Tom am esgair a gwellt y bwla, a Tom yn taflu 'nôl ata i eiriau fel cawnen a chawc.

Fe ges i gyfle i holi'r brodyr bob un, ac un o'r sgyrsiau mwyaf diddorol oedd honno pan aeth Dai ati i ddisgrifio dylanwad y tad, John Dafis. I'r tad, roedd y piano'n bwysicach dodrefnyn ar yr aelwyd na'r dreser, y cwpwrdd tridarn a'r cloc mawr. Yn ôl Dai, roedd ei dad yn ffermwr traddodiadol ond heb fod arno ofn arloesi, a hynny cyn bod sôn am Bwllpeiran na'r Capten Bennett Evans. Bu Pwllpeiran, yng Nghwmystwyth, yn ganolfan arloesol mewn ffermio mynydd ar hyd y blynyddoedd o dan arweiniad Moses Griffith a lle y bu Llew Phillips yn amlwg iawn. Bu'r Capten Bennett Evans yn flaengar mewn gwella porfeydd mynyddig ar lethrau Eisteddfa Gurig.

Byddai Dai'n troi'r gwartheg i'r mynydd a'u bwydo â silwair yn y bore a gwair gyda'r nos. Doedd e ddim yn ddyn aradr ond yn credu mewn calch. Bu Dai'n disgrifio'r gwaddol a adawyd gan y tad, sef tair gwyddor bwysig sydd wedi llywio bywydau'r plant. Y gyntaf oedd yr wyddor go iawn, sef yr ABC yn Gymraeg, a Dai'n medru ei hadrodd heb unrhyw lithriad. Faint o Gymry fedr wneud hynny heddiw? Yr ail oedd y sol-ffa a'r drydedd oedd nodau clustiau defaid. A thrwy'r tair gwyddor fe wnaeth y tad, medde Dai, 'agor gatiau i ni.' Dyna i chi ddweud da, yntê? Fe wna i gofio'n hir sgyrsiau pwyllog a goleuedig Dai Bryniog gyda'i Gymraeg gloyw a rhywiog.

Fe wnes i lwyr fwynhau cwmni teulu Bryniog. Dyma'r math o raglen sy'n codi calon rhywun. Fe lwyddwyd, rwy'n meddwl, i gyfuno gweithgareddau bob dydd yr hogiau ar gefndir godidog Mynydd Hiraethog â chaneuon Tom am Lywelyn yn ail-greu'r hanes cyffrous hwnnw. Bron na fyddwn i'n disgwyl gweld y Llyw Olaf ei hun yn carlamu heibio ar ei farch.

Dyma'r math o raglen sy'n ategu anthem fawr Dafydd Iwan yn cyhoeddi ein bod ni yma o hyd. Fe gawson ni glo perffaith i'r rhaglen hefyd gyda Tom yn adrodd llinellau gan William Jones, Nebo, a oedd yn disgrifio Bro Hiraethog a'i dylanwadau'n berffaith:

Yr wyt yn ddarn ohonof,
Dy ffeg a'th frwyn a'th gawn,
Dy fencydd a'th siglennydd,
Dy rug a'th briddyn mawn;
Dy foelni a'th gadernid di
Roes drydan yn fy esgyrn i.

Wrth fynd o le i le, o leoliad i leoliad, nid dysgu mwy am y Gymru gyfoes yn unig fydda i. Na, mae Cymru'r gorffennol yn dal ynghlwm wrth aml i stori gyfoes. Teulu arall a gafodd sylw gan *Cefn Gwlad* oedd teulu Berain, Llanefydd, cartref John ac Eirian Jones a'u pedwar plentyn, Elin, Ifan, Jacob ac Elias – y pedwar yn yr ysgol ond eisoes yn rhoi help llaw. Yn gefn hefyd roedd rhieni John, sef Richard a Iona. Mae'r enw 'Berain' yn gyfystyr ag un o gymeriadau mwyaf lliwgar hanes Cymru, sef Catrin o Ferain. Mae'r plasty bychan canoloesol o'r bedwaredd ganrif ar ddeg yno o hyd, yn gartre i'r teulu presennol ac yn sefyll ar ganol tirwedd braf.

Ffarm laeth sydd yno bellach, gyda'r Jonesiaid yn cadw buches o ddau gant o wartheg. Esboniodd Richard iddo fynd yn ôl at gadw'r Friesian traddodiadol. Credai Richard mewn cadw teirw hefyd ond wrth i'r fuches gynyddu teimlai y byddai'n rhaid gwneud defnydd o'r A.I. Roedd Richard yn defnyddio'r dechnoleg fodern gyda phob buwch, a maint ei chynnyrch yn cael eu cofnodi ar gyfrifiadur yn y parlwr godro.

O'n cwmpas roedd caeau braf, eang, hawdd eu trin, a'r rheiny'n ymestyn rhwng Clocaenog a Llanelwy. Draw â ni wedyn i ail ffarm y teulu, Maes y Brwyn, lle'r oedd ceirch a gwenith, digon i gynnal y stoc a pheth dros ben i'w werthu. Yno hefyd fe ges i gyfle i edmygu'r heffrod ynghyd â'r defaid Cymreig a Texel.

Fe ges i air â Richard, a oedd yn dal yn weithgar, a hyfryd oedd gweld yr hen draddodiad o was ffarm ffyddlon yn parhau, gydag Elwyn Griffiths wedi bod yno ers ymron ddeugain mlynedd. Ie, olyniaeth unwaith eto. Mynd wedyn yng nghwmni Iona i gapel y fro, Capel Cefn Berain a 'Duw cariad yw' mewn llythrennau breision uwchlaw'r pulpud. Roedd lle yno i gant ond dim ond 30 o aelodau oedd ar y llyfrau bellach. Ie, stori debyg sydd i addoldai ledled Cymru.

Iona fu wrthi yn fy ngoleuo ar hanes Catrin o Ferain, y fenyw gyntaf erioed yng Nghymru siŵr o fod i lwyddo i hawlio safle cyfuwch â dynion ymhlith bonedd yr oes. Fe gafodd bedwar gŵr, a'r rheiny'n bobol ddylanwadol a chyfoethog. Bu hanesion i Catrin lofruddio mwy nag un ohonyn nhw ond doedd dim sail i hynny. Doedd menyw yn yr unfed ganrif ar bymtheg ddim yn ddylanwadol, felly rhaid oedd creu hanesion wrth geisio esbonio'i llwyddiant. Rhwng ei phedair priodas fe gafodd chwech o blant ac un ar ddeg o wyrion. Dyna pam, siŵr o fod, y bedyddiwyd hi yn Fam Cymru. Wrth edrych ar y tir o gwmpas, anodd oedd credu i'r fenyw hon unwaith berchnogi 3,000 erw o'r tir hwnnw gan hawlio incwm o ganpunt y flwyddyn. Yn anffodus does yna ddim cofnod i ddangos ble yn union ym mynwent Llanefydd y'i claddwyd hi. A dyna i chi gyferbyniad. Un funud roeddwn i'n gwrando ar hanes menyw enwog a fu farw yn 1591 a'r funud nesaf yn gwylio tractorau a pheiriannau modern Berain yn grwnian a chwyrnu wrth gasglu ffrwyth daear Dyffryn Clwyd. Y dulliau'n dra gwahanol ond yr hen olyniaeth yn parhau. Ie, chwedl Dic Jones, 'Tra bo dynoliaeth fe fydd amaethu'.

Mae meddwl am deithio i wledydd tramor yn aml yn rhoi gwefr i rywun, hyd yn oed i wledydd cyfagos fel yr Alban neu Iwerddon. Rywsut, nid yw croesi'r ffin i Loegr yn cyfleu'r un wefr. Ond mae hanesion yn y wlad honno hefyd a ddylai fod o ddiddordeb i ni. Yn ddiweddar fe wnes i groesi'r ffin i Henffordd i gyfarfod â chymeriad diddorol iawn, Wmffre Davies, neu i roi iddo'i enw llawn, Dafydd Wmffre Williams Davies.

Gan fod yno eglwys gadeiriol fe ystyrir Henffordd yn ddinas, ac mae iddi gysylltiadau clòs â Chymru yn hanesyddol ac yn fasnachol. Fe ymosododd Glyndŵr ar y lle, ac mae marchnad Henffordd yn denu llawer o Gymru i groesi'r ffin. Nid newydd-ddyfodiad i'r ddinas oedd Wmffre. Ddim o bell ffordd. Fe aeth yno gyntaf ar y 24 Medi 1979 ar drip ysgol Sul Capel y Fadfa, Talgarreg. Roedd y dyddiad wedi'i serio ar ei gof. Ychydig yn ddiweddarach, fe aeth e'n ôl i weithio yng nghanolfan arddio Wyevale a mynd yn uwch-arddwr yno yn ddiweddarach.

Cyn-ffermwr oedd Wmffre ac yn gyfarwydd â chodi llysiau. Cofiai'n arbennig yr arferiad, pan oedd e'n blentyn, i'w ddau frawd a'u tad ac yntau fynd ati bob diwedd haf i hel swêds, neu yn nhafodiaith de Sir Aberteifi, 'cwmpo swêdj'. Fe ddechreuodd y cysylltiadau garddwriaethol o ganlyniad i duedd Wmffre i ffraeo â'i frodyr a chael ei hel gan ei dad i weithio yn yr ardd. Dyna gychwyn ei ddiddordeb mewn garddwriaeth. Ar ben hynny, fe fydde'r ffarm yn tyfu eu llysiau eu hunain heb orfod prynu dim i mewn.

Erbyn hyn roedd tyfu llysiau'n organig yn ffasiynol ond teimlai Wmffre mai dyna oedd yr hen ddull o ffermio beth bynnag, a bod y dull hwnnw ar y blaen, gan fod ffermwyr y dyddiau gynt yn nes at y ddaear pan ddeuai'n fater o amseru plannu a chasglu. Roedd gan gwmni Wyevale tua 400 erw o dir a thua dau gant o staff. I'w cynorthwyo roedd 30 o dractorau Massey a 70 o drelyrs. Ac roedd gwaith Wmffre'n waith drwy'r flwyddyn, er ei fod yn dymhorol ei natur, er enghraifft, cyn belled ag yr oedd coed yn y cwestiwn, dim ond rhwng Tachwedd a Mawrth y gellid codi'r planhigion. Roedd planhigion mewn potiau wedyn ar werth rownd y ril.

Wyevale yw un o'r canolfannau garddio mwyaf ym Mhrydain, gyda'r offer diweddaraf, yn cynnwys peiriant ar gyfer potio planhigion. Yr unig anghenraid oedd gosod planhigyn yn y pot a gadael i'r peiriant lenwi'r pot â phridd. Gyda chymorth cludydd neu *conveyor belt* roedd cadwyn o blanhigion wedi'u potio'n cael eu derbyn gan un o'r gweithwyr ar y pen draw. Bydde'r gwaith hwnnw'n mynd ymlaen ddeuddeg awr y dydd a chwe diwrnod yr wythnos.

Am y deng mlynedd cyntaf yno, allan yn tendio'r planhigion a'u dyfrio ar gyfer eu cludo i'r ganolfan oedd gwaith Wmffre. Yna fe dderbyniodd y DCM. Na, nid y 'Distinguished Conduct Medal' ond 'Don't Come back Monday.' Ond fe'i cadwyd ymlaen a'i anfon i weithio i'r ganolfan. Felly, fe drodd o dyfu a pharatoi planhigion at eu gwerthu i'r cyhoedd. Cafodd y fraint ddwywaith o gael gweithio ar stondin y cwmni yn Sioe Flodau Chelsea yn ateb cwestiynau ac ymholiadau.

Bob blwyddyn câi dwy filiwn o blanhigion eu tyfu yn y ganolfan, a chafodd Wmffre brofiad o weithio ym mhob adran. Roedd dwy linell yn gweithio, rheiny'n cludo 4,000 yr un o blanhigion y dydd. Ar hyd y llinellau bydde byddin o weithwyr yn twtio'r planhigion a'u labelu cyn eu llwytho i geirt a'u cludo allan i ddenu cwsmeriaid.

Fe esboniodd Wmffre mae ei fwriad oedd dod i Wyevale am un flwyddyn o brofiad ym maes garddwriaeth. Ond ar ddiwedd ei flwyddyn yn fyfyriwr mae'n amlwg iddo wneud cryn argraff, gan iddo gael ei gyflogi'n llawn amser. Roedd cryn syched ar rai o'r planhigion a rhaid oedd eu dyfrio'n rheolaidd. Yfai'r planhigion ymron gymaint ag ef ei hun, medde Wmffre. Ond nid dŵr wnâi ef i yfed i dorri ei syched. Na, roedd e yng nghanol ardal y seidir, wrth gwrs. Cofiai'r dyddiau adref yn Nhalgarreg, ei dad yn estyn iddo hanner coron i brynu fflagon o seidir Woodpecker yn Nhafarn Bach. Yna mynd 'nôl â'r botel wag a chael chwe cheiniog amdani. Ychydig a feddyliai ar y pryd y bydde, yn ddiweddarach yn ei fywyd, yn byw a gweithio yn ardal y cwmni sy'n cynhyrchu'r seidir hwnnw, sef Bulmers.

Roedden ni, wrth gwrs, yng ngwlad y perllannau, a phob ffarm ar un adeg yn bragu ei seidir ei hunan. Yn wir, mae yna fwy o berllannau afalau yn Swydd Henffordd o hyd nag mewn unrhyw sir arall ym Mhrydain. Fel uwch-arddwr, roedd Wmffre'n hyddysg iawn yn ei wybodaeth am afalau. Ac am eu blas hefyd! Dangosodd i fi ddau fath sef Michelin a Dabinett. Bydde falau Swydd Henffordd yn mynd i gwmnïau mawr fel Bulmers, Magners a Gaymers.

Roedd y wlad o gwmpas yn 'wyn o wenith', am ei bod hi'n fwy proffidiol tyfu grawn na phesgi ŵyn neu fustych. Am y bobol leol, fe gymerai amser iddyn nhw dderbyn pobol o'r tu allan, medde Wmffre, ond roedd e bellach wedi cael ei dderbyn yn llwyr 'fel Cymro Cymraeg Swydd Henffordd ac yfwr seidir'. Roedd Wmffre'n gefnogwr brwd o glwb rygbi Henffordd. Yn wir, oni bai am y cyfeillgarwch a ganfu ymhlith aelodau'r clwb hwnnw, fydde fe ddim wedi aros yn y ddinas cyhyd. Fe fu'n rhedeg un o dimau'r clwb am ugain mlynedd ac fe'i anrhydeddwyd am ei wasanaeth i rygbi yn Lloegr. Tipyn o anrhydedd i Gymro!

Roedd yr ysfa rygbi wedi cydio ynddo yn Ysgol Ramadeg Llandysul pan wnaeth Wmffre chwarae am dri thymor fel blaen asgellwr ochr dywyll. Fe fu'n gapten yn ei flwyddyn olaf. Cofiai'n dda pan ofynnodd i'w dad brynu pâr o sgidiau rygbi iddo. Ei ateb oedd, petai e'n torri'r rhedyn ar y fron fe gai e bâr o sgidiau. Fe wnaeth Wmffre, ac yna bodio i Aberystwyth, prynu pâr o sgidiau a dal y bws adref. Yn wir, fe'i gwahoddwyd yn ôl gan Glwb Henffordd i redeg yr ail dîm. Bu'n rhaid iddo wrthod. Pam? Am nad oedd ganddo hawl bellach i regi! Oedd, roedd cywirdeb gwleidyddol wedi cyrraedd y maes rygbi hyd yn oed.

Bob dydd Iau mae marchnad warteg yn Henffordd ac fe es i yno gydag Wmffre. Ac wrth gwrs, roedd yno warteg Henffordd, a'r rheiny lond eu crwyn. Roedd Wmffre yn llygad ei le wrth ganmol y brid am eu gallu i wrthsefyll tywydd, boed haul neu rew. Dim rhyfedd fod eu gwaed nhw bellach i'w ganfod ledled y byd. Erbyn hyn fe dybir fod dros bum miliwn o warteg Henffordd i'w cael mewn dros hanner cant o wledydd.

Daeth cyfle wedyn yn y farchnad i weld y cynnyrch amaethyddol o ran llysiau'r gerddi a'r caeau. A rhaid fu oedi i edrych ar y ddelw enwog o Darw Henffordd o flaen yr Hen Dŷ yng nghanol y ddinas. Fe'i crëwyd mewn efydd gan y cerflunydd Brian Alabaster. Un gwendid arno, yn ôl Wmffre, oedd y dylai ei ben e fod yn wyn. Un felly dylai Tarw Henffordd go iawn fod.

Nid am afalau seidr yn unig mae Swydd Henffordd yn enwog. Yn y farchnad fe gawson ni gyfle i weld y gwahanol fathau o afalau bwyta a choginio oedd ar werth yno, ac Wmffre'n adnabod pob un. Yn wir, roedd ganddo fe ddeg math o afalau yn ei ardd ei hun ac yn gwerthu 31 o wahanol fathau yn y ganolfan. A finne'n

cofio am ryw foi a arferai ddod o amgylch droeon bob
gaeaf yn gwerthu falau fesul bocsed. Fe fydde fe'n galw
pawb yn bwdryn.

Yn ogystal â bod â diddordeb mawr mewn rygbi,
syndod oedd canfod diddordeb arall Wmffre ym myd
chwaraeon. Roedd e'n giamstar ar chwarae *pétanque*.
Gêm o Ffrainc yw hi, math ar fowls ond eich bod chi'n
taflu'r peli mawr at y jac yn hytrach na'u rholio nhw.
Gwahaniaeth arall yw mai ar wely grafel y caiff y gêm
ei chwarae yn hytrach nag ar lawnt. Fe gawson ni
gystadleuaeth. Ond wnes i ddim datgelu wrth Wmffre
fod gen i brofiad o chwarae'r gêm allan yn Ffrainc. A
wyddoch chi beth? Fe enillais i!

Roedd gan Wmffre uchelgais, sef plannu pedair ar
ddeg o goed derw ar dir ffarm yr Esgair yn ei henfro
er cof am aelodau'r teulu. Yno ceir hen gastell pridd
o ddyddiau'r Normaniaid, ac enw'r castell yw Castell
Hwmffre. Wrth droed pob coeden fe fydde enw'r aelod
gan gychwyn gyda'i dad. Ac roedd yna wreiddiau, a'r
rheiny ddim yn unig yn wreiddiau'r coed. Yn ôl Wmffre
roedd hen hen dad-cu ei dad, a anwyd yn 1760, wedi
bod yn aelod yn Yr Hen Gapel, Llwynrhydowen, cyn y
'Troad Allan' enwog. Digwyddodd y Troad Allan yn 1876
pan glodd y Sgweier John Lloyd, Alltyrodyn, ddrws y
capel ar y gweinidog, Gwilym Marles, a'i gynulleidfa,
am eu bod nhw'n Undodwyr radicalaidd. Tori oedd y
sgweier. Ymateb yr aelodau fu ymgasglu'n dorf anferth
y tu allan i gynnal gwasanaethau. Pan fu farw'r Sgweier
fe gyflwynodd ei chwaer y capel yn ôl i'r aelodau.
Roedd Gwilym Marles, gyda llaw, yn hen ewyrth i Dylan

Thomas. Roedd y coed wedi'u dewis a'r cofnod ar gyfer pob aelod yn nodi pa goeden fydde'n cofféu pwy wedi eu nodi. Roedd Wmffre wedi cael caniatâd i'w gosod ar dir yr Esgair ac fe gaent eu cludo yno toc. Fe gyfaddefodd wrtha i mai hiraeth oedd wrth wraidd y syniad. Er iddo fod yn alltud ers diwedd y saithdegau, roedd yr hiraeth yn parhau. A'r neges oedd na fedrwch chi byth wahanu dyn oddi wrth ei wreiddiau, boed y rheiny'n wreiddiau teuluol neu'n wreiddiau coed derw.

'Fe fyddan nhw yno pan fydda i wedi hen fynd,' medde Wmffre'n hiraethus, 'ac yn dal i dyfu, a hynny am ganrifoedd, falle.'

9

Yn y dyfroedd mawr

FE WŶR PAWB am fy ofn o gathod. Ofn mawr arall yw dŵr. Mae sylw i'r ddau ofn yn *Fi Dai Sy' 'Ma*. Yno, fe geisiais i esbonio'r rhesymau dros fy ofn o'r naill a'r llall. Ond fe wna i yma fanylu ar yr ail ofn – testun a fu'n gyfrwng cyfres o dair rhaglen, *Dai yn y Dŵr*. Cwmni Boomerang fu'n gyfrifol am y gyfres, gyda Cleif Harpwood yn cyfarwyddo.

Craidd y rhaglen, 'nôl yn 2007, oedd fy ymdrechion i goncro fy ofn o ddŵr a'r ymdrechion i fy nysgu i nofio, a hynny o fewn saith diwrnod – rhywbeth y bydd newyddiadurwyr yn ei alw'n 'deadline'. Tipyn o gamp ar ôl bod ag ofn dŵr ers trigain mlynedd. Ond dyna fe, os llwyddodd y Bod Mawr i greu'r byd mewn saith diwrnod, siawns na fedrwn i ddysgu nofio mewn amser tebyg. Ond rhyw ofni oeddwn i mai 'lifeline' fydde ei angen arna i.

Mae ar bawb ofn rhywbeth. Ond dyw fy ofn o ddŵr ddim yn mynd i'r eithafion sy'n golygu na wna i fentro ar ei gyfyl. Yn wir, rwy wedi bod ar ddŵr droeon ac mewn dŵr hefyd o ran hynny, er na fu pob achlysur yn un bwriadol. Na, rhyw barchedig ofn yw ofn dŵr, yn wahanol i fy ofn o gathod, sy'n ofn marwol.

Meddyliwch yn gynta am fynd i mewn i'r dŵr a symud yn araf bach tuag at y man dyfnaf. Mae e'n dod hyd at eich coesau chi. Yna lan at eich pengliniau. Yna lan i dop eich cluniau chi. A phan fydd e'n dechre cyffwrdd â gwaelod y corff – wna i ddim manylu, chi'n gwybod be sy gen i – mae'r anadl yn dechre mynd yn fyr ac yn dal yn y gwddf. Dyna, o leiaf, oedd fy mhrofiad i.

O ran nofio, dyw e ddim yn weithgaredd naturiol i fi. Dim ond un ffordd o symud corfforol roddodd Duw i fi, a hwnnw oedd drwy ddefnyddio fy nghoesau i gerdded. Coesau byr sydd gen i, fel coesau 'Nhad. Roedd coesau Mam hyd yn oed yn fyrrach. Yn y siop yn Llunden, roedd hi'n gorfod sefyll ar ben bocs er mwyn medru mystyn i sleiso cig moch.

Mae'n ddigon o drafferth defnyddio 'nghoesau ar dir solet, ond mewn dŵr fe fydda i'n teimlo nad oes gafael gan fy nhraed i ar y gwaelod. Mae'n amser i banico wedyn. Rwy'n teimlo'r un fath â thractor â'i olwynion yn troi'n wag, neu'n sbino. Wedyn dyma ddechre defnyddio fy nwylo. Ac yn rhyfedd iawn, y rhannau ysgafnaf o'r corff sy'n suddo – fy nghoesau. Mae'r bol yn help, yn enwedig y bol sydd gen i. Ond yn y dŵr rwy'n cael rhyw deimlad o fod yn ddiymadferth.

Ar gyfer y gyfres fe ofynnwyd am esboniad seicolegydd am fy ofn i o ddŵr. Barn y Seicolegydd Clinigol, Dr Mair Edwards, oedd bod ar y rhan fwyaf ohonon ni ofn rhywbeth. Mae hynny'n golygu fy mod i mewn cwmni da, am wn i. Ry'n ni oll yn mynd drwy'n bywyd yn meddwl, 'Fyse'n well gen i beidio â gwneud hyn neu hyn.' Neu'n meddwl, 'Dwi ddim yn rhyw hoff iawn o fod yn y sefyllfa yma.' Ond ry'n ni'n dal i fwrw mlaen â'n bywyd. Felly dyw'r ofn ddim yn effeithio arnon ni i'r graddau ei fod e'n troi yn ffobia. Efo ffobia, mae'r ofn, medde hi, yn cyrraedd y fath raddau fel ei fod e'n ein rhwystro ni rhag gwneud rhywbeth fyddwn ni'n meddwl y bydden ni'n mwynhau ei wneud yn y pen draw. Hyd yn oed yn rhywbeth a allai ein rhwystro ni rhag bwrw mlaen gyda'n gyrfa neu ein bywyd teuluol. Doedd arna i ddim ofn dŵr i'r graddau o ffobia, ond roedd e yno drwy'r amser yng nghefn fy meddwl.

Does dim llawer o gariad wedi bod rhyngof i a dŵr erioed. Rwy wedi cael profiadau erchyll ar ddŵr, mewn canŵ neu mewn cwrwgl, er enghraifft. Mae'r gwylwyr wedi bod yn dyst i hynny. Mewn canŵ yn arbennig, mae e fel bod mewn plisgyn wy. Dim ond i chi anadlu, mae e'n bygwth troi ben i waered. Fe ges i brofiadau o hyn ar Lyn Padarn a Nant Gwynant ar gyfer ffilmio *Cefn Gwlad*. Profiadau dirdynnol. Ac fel un na fedr nofio doedd dim gobaith i fi fedru achub fy hunan.

Yn ôl y seicolegydd, os oes gan rywun ffobia am unrhyw beth, mae'n debygol fod ganddyn nhw ffobias eraill hefyd. Mae hynny'n wir amdana i. Ar wahân i fod ag ofn dŵr a chathod, mae arna i hefyd ofn uchder a thywyllwch. Ac er fy mod i'n ddigon ffôl i roi cynnig ar unrhyw beth, rwy'n un sy'n poeni.

Yn blentyn fe fyddwn i'n mynd yn aml gyda ffrindiau ar ddyddiau braf i fyny i'r Mynydd Bach i ymdrochi yn Llyn Eiddwen. Bydden ni'n hel defaid yno hefyd. Fe fydde criw ohonon ni'n mynd ar feics ac fe fydden ni lawn cystal ein byd â phlant y trefi a'u pyllau nofio. Llyn

Eiddwen oedd ein pwll nofio ni, fois y wlad, hwnnw a'r môr yn Aberystwyth ar ambell drip i'r dre. Fe fydde Wncwl ac Anti yn fy rhybuddio byth a hefyd rhag mentro i'r llyn. Wedi'r cyfan fe wyddwn i am ambell un oedd wedi boddi yno ac yn Llyn Fanod. Ro'n i'n nabod rhai ohonyn nhw. Ac fe wnaeth Wncwl ac Anti lwyddo i godi ofn arna i. Yn wir, rwy'n cael yr un ofn nawr wrth feddwl am y peth.

Y gwir amdani yw i fi geisio nofio fwy nag unwaith. Pan oedd John, y mab, yn fach fe fyddwn i weithiau'n mynd gydag e a chefnderwyr i lawr at yr afon. Fe fyddwn i bob amser yn mynd â thiwbyn olwyn tractor gyda fi. Ond un tro fe lithrais i drwy'r tiwbyn a chael ofn marwol. Heddiw, gyda'r bol sydd gen i fydde dim perygl o hynny. Hwn fydde fy ail gynnig i ddysgu nofio. Yn ôl yn 1989 fe ffilmiwyd fi'n ceisio dysgu nofio gyda disgyblion Ysgol Cwm Gwaun gan orfod gwisgo *arm-bands* tra oedden nhw'n nofio fel pysgod ac yn chwerthin ar fy mhen.

Yna, ymron ugain mlynedd yn ddiweddarach, fe heriodd fy wyres fi. Roedd Celine bron yn ddeg oed, a hi a'i ffrind, Elliw Cefn-coch, wnaeth daflu'r her. Y syniad ges i oedd derbyn gwersi nofio ar y slei gan roi sioc iddyn nhw wrth fynd i nofio gyda nhw. Ond peth arall fydde dysgu nofio o fewn saith diwrnod.

Ar gyfer y gyfres o raglenni fe holwyd rhai o bobol Tregaron am fy ngobeithion. Cymysg fu'r ymateb. Barn un oedd na fydde angen tiwbyn diogelwch arna i gan fod gen i gymaint o fol. Roedd unrhyw beth crwn fel casgen, yn ôl Ifan Tregaron wedyn, yn abl i ffloto. Felly fe fyddwn i, medde fe, yn garantîd o lwyddo.

Y cam cyntaf fu derbyn asesiad gan hyfforddwr pwll nofio Aberystwyth ym Mhlascrug, sef Stephen Hughes. Fe ddigwyddodd hynny yn y pwll, a finne wedi dewis gwisgo tryncs call – ddim rhy fyr, ddim rhy laes. Chwaethus iawn. Yno fe dderbyniais newyddion gan Stephen nad oedd yn addawol iawn. Roedd cyrraedd yr hanner cant heb fedru nofio o gwbwl yn anfantais fawr wrth geisio dysgu. Yn wir, doedd dim llawer o obaith dysgu wedyn. Roedd plant heddiw'n dysgu'n ifanc iawn ac erbyn oedran gadael yr ysgol uwchradd fe fydde pob disgybl yn medru nofio o leiaf un hyd o'r pwll.

Beth bynnag, i mewn â fi hyd fy mhengliniau. Yna hyd at fy nghanol. Ac yna cwtsho'n ara bach fel bod yr ysgwyddau o dan y dŵr. Roedd y seicolegydd wedi dweud mai'r unig ffordd o goncro ffobia fydde ei wynebu. A dyna ble'r o'n i yn y pwll yn gwneud hynny.

Y cam, neu'r camau nesaf fu cerdded ar draws y pwll o un ochr i'r llall. Hyder oedd y peth mawr, yn ôl Stephen. Roedd hwn felly'n gam pwysig. Yna cydio yn y reilen wrth ochr y pwll a chodi'r coesau i fyny ac i lawr a chicio. Gwneud hyn dro ar ôl tro. Wedyn Stephen, o'r tu ôl, yn cydio yn fy nhraed a phwmpio fy nghoesau lan a lawr, dro ar ôl tro.

Y cam mawr nesaf oedd cwtsho'n ddigon isel fel bod fy wyneb i o dan y dŵr. Dyma, medde Stephen, oedd un o ofnau mawr y rhai na allent nofio. Dyma hongian wrth y reilen unwaith eto a gostwng fy mhen nes bod fy wyneb o dan y dŵr a chael fod hyn yn llai o dasg nag yr ofnais. Llwyddiant!

Roedd yr her yn dechre cydio nawr. Pe medrwn i

goncro'r ofnau a dysgu nofio, gwnâi hynny lawer i newid fy mywyd. Ond nid mewn pwll nofio cyhoeddus oedd gwneud hynny. Bydde pobol yn fy ngweld ac yn fy nghyfarch. Chawn i ddim llonydd. A dyma gael deall y cawn fy hedfan i bellteroedd byd i Sharm el-Sheikh yn yr Aifft i gael gwersi deifio a nofio tanddwr a hyfforddiant nofio gan yr arbenigwr Alun Evans.

Fe wyddwn i y bydde unrhyw le yn yr Aifft yn boethach na Llanilar. Felly draw â fi i fferyllfa Huw Evans yn Nhregaron i brynu eli haul a thabledi stumog – y tabledi cryfaf oedd yn bod. Yna wynebu pigiadau gan y nyrs, Sandra Evans, yn y syrjeri ar draws y ffordd. A gorfod drwy hynny wynebu ffobia arall, y nodwydd. Oherwydd fy mod i'n dioddef o glefyd y siwgwr roedd angen chwistrelliad arbennig arna i. Croesawodd Sandra'r ffaith fy mod i'n bwriadu dysgu nofio. Dyma, medde hi, oedd yr ymarferiad gorau at golli pwysau, a hynny heb osod unrhyw straen ar y corff. Ymarferiad da hefyd, mae'n debyg, at ostwng lefel colesterol.

Pacio oedd y gorchwyl nesaf. Twrio yn y droriau am dronsys, crysau, sanau ond dim ond un trowser. Fe wnawn i brynu rhai allan yno. Ac yn sicr dim ymbrelo. Rhyw amau a wnawn i ddysgu nofio oedd Olwen, y wraig. Ro'n i'n parchu ei barn gan ei bod hi'n fy nabod i'n well na neb. Ond bu'n rhaid i Olwen orfod cyfaddef i fi ddysgu sgio. Felly roedd unrhyw beth yn bosib.

Ro'n i wedi hen sylweddoli na fydde dysgu nofio fel dysgu llinellau mewn drama neu ddysgu geiriau a nodau cân. Ond o fynd amdani heb i hynny fod yn orfodol, teimlwn y medrwn i lwyddo. Wedi'r cyfan, ddaw llwyddiant ddim os bydd rhywun o dan straen. Yn wir, teimlwn y medrwn i fod yn nofio o fewn tridiau o'r saith diwrnod.

O Gatwick ro'n i'n hedfan, y criw ffilmio a finne'n barod. Ond roedd un dyn bach ar ôl sef Wil Hafod, fy hen gydymaith ar y *piste* yn 1990. A Wil, wedi iddo gyrraedd, yn hyderus y gwnawn i lwyddo mewn dŵr yr hyn lwyddais i ar eira.

Yn Sharm el-Sheikh ar y bore cynta ro'n i dair neu bedair munud yn hwyr yn cyfarfod ag Alun Evans, fy hyfforddwr dros yr wythnos oedd i ddod. Ond chwarae teg, toc wedi saith y bore oedd hi. Ac yn ôl Alun, y dasg gynta fydde fy nghael i'n gyfforddus mewn dŵr. Haws dweud na gwneud. Da fu clywed nad oedd hyd yn oed y dŵr yn y man dyfnaf ym mhwll nofio'r ganolfan hyfforddi ddim ond fyny at fy ngên. Roedd Alun o Faesteg, cyn-ddisgybl yn Ysgol Rhydfelen, yn rhedeg ysgol ddeifio yn yr Aifft. Roedd e a'i wraig Moira wedi ymweld â Sharm el-Sheikh bum mlynedd yn gynharach ac wedi hoffi'r lle gymaint fel iddyn nhw benderfynu aros a sefydlu ysgol nofio tanddwr yno.

Y dasg gynta, felly, oedd fy nghael i ymlacio. Roedd y seicolegydd wedi fy rhybuddio y bydde wynebu un o'm hofnau mawr yn gam dewr. Roedd hi'n iawn. Ond bydde gwneud hynny'n gyhoeddus yn llygad y camera'n help, medde hi, gan na fynnwn i wneud ffŵl o'n hunan yn gyhoeddus. Doedd neb wedi dweud hynny wrth Wil Hafod. Roedd e'n chwerthin yn ddi-stop.

Fy mhroblem fwyaf, yn ôl Alun, oedd fy mod i'n tueddu i ddal fy anadl. Doedd dim amdani felly ond gwisgo snorcel. A thra oeddwn i wrthi'n cael gwersi, fe fachodd Wil ar y cyfle i grwydro tipyn ar lannau'r Môr Coch. Ond wyddoch chi beth? Yn hytrach na chael tipyn o ddiwylliant drwy ymweld â'r pyramidiau fe ddewisodd Wil fynd i barc dŵr i fwynhau ei hunan.

Yn y pwll nofio fe wisgais i'r snorcel a chael cyfarwyddiadau ar sut i anadlu drwy fy nhrwyn. A wir i chi, fe lwyddais i nofio heb unrhyw help gan Alun. Yna, gyda chymorth rhyw fflip-fflops traed broga am fy nhraed fe ddaeth y diwrnod cyntaf i ben yn ddigon llwyddiannus.

Y nos a fu, a'r bore a ddaeth, sef yr ail fore, ac ambell gyhyr, na wyddwn i o'r blaen am ei fodolaeth, yn dechrau tynnu fel lastig. Fore trannoeth dyma symud o'r pwll i'r Môr Coch. Dyma un o'r mannau mwyaf hallt yn y byd mae'n debyg, bron mor hallt â'r Môr Marw. Dim angen halen ar fy tships y noson honno felly.

Y wers fan hyn oedd ymarfer anadlu'n naturiol. Ac fe deimlwn fod angen gweithio ar fy rhythm. Hynny yw, amseru. Ro'n i'n rhy fyrbwyll. Fe deimlwn fel oen bach newydd-anedig yn ceisio tynnu ei anadl. Cyngor Alun oedd i fi gicio 'nghoesau, a hynny'n hir ac yn araf. A wyddoch chi beth? Ro'n i'n nofio! Gyda chymorth, mae'n wir. Ond ro'n i'n nofio! Ac yn fwy na hynny, ro'n i'n mwynhau! A hyd yn oed Wil Hafod yn cydnabod fy nghamp.

Rhaid fu mynd allan y noson honno i ddathlu. Cael trît. A'r trît fu mynd i weld dawnswraig bogel. Yn anffodus roedd fy mol i'n dawnsio lawer mwy na'i bol hi. Doedd hynny'n fawr o syndod gan fod fy mol i o

leiaf bedair gwaith yn fwy na'i bol hi. Ac wrth ei gwylio
fe gawson ni roi cynnig ar smocio pibell *hookah*. Fe
fu smygu'r *hookah* yn brofiad digon annifyr. Smocio
trwy ddŵr oedden ni. Beth oedden ni'n smocio? Mae
hynny'n dal yn ddirgelwch. Roedd y mwg yn codi gwynt
ar stumog rhywun a'i flas e'n oedi am ddyddiau ar y
tafod. Fe wnaeth fy atgoffa i o hen foi o Sir Benfro a
fyddai'n smocio tail ceffyl wedi'i sychu. Fe aeth fyny
i Sioe Smithfield gyda chyflenwad o'r stwff. Dyna lle
roedd e yn y ciw bwyd yn y Carvery ac un o'r merched
oedd yn gweini yn crychu ei thrwyn a gofyn:

'Is it you smoking that terrible shag tobacco?'

'No, no,' medde fe. 'I'm smoking Gee-gee Number
Two!'

Yna daeth y gwahoddiad i Wil a fi ddawnsio gyda hi.
Roedd hi'n dipyn o bishyn, ond fydde hi'n dda i ddim yn
llwytho bêls neu garthu'r beudy ar fryniau Ceredigion.
Doedd dim ôl welingtons ar ei choesau hi.

Ar fore'r trydydd dydd fe aeth Alun â fi allan i'r bae,
a cheisais gofio geiriau'r seicolegydd. Roedd pennu
amser byr ar gyfer dysgu yn ei gwneud hi'n haws na
gosod targed tymor hir gan fod hynny'n ymestyn hyd yr
artaith hefyd. A dyna fi, gyda fflip-fflops am fy nhraed,
siaced ddiogelwch yn fy nghynnal, a masg am fy wyneb,
ganllath o'r lan ac ugain troedfedd allan o'm dyfnder
– yn nofio!

I goroni'r trydydd dydd fe gafodd Wil a fi'r
profiad rhyfedd o fynd ar gefn camelod. Ie, Wil a fi'n
gapteiniaid llongau'r anialwch! Roedd gen i brofiad
eisoes o farchogaeth camelod pan es i allan i'r Masai

Mara yn Affrica gyda Ken Williams ar gyfer y rhaglen *Jambo Bwana*, hynny'n ôl ar ddechrau oes *Cefn Gwlad*. Fe gyrhaeddodd y camelod ac fe orweddodd y ddau'n ufudd o'n blaenau ni. Fe wnes i feddwl mai gwendid oedd i'w gyfrif am hynny, ond na, ro'n nhw wedi eu hyfforddi i wneud hynny. Fe gynghorwyd fi i eistedd rhwng hwmp y camel a'i wddw, hynny'n golygu fod ei din e'n codi'n syth i'r awyr a'i ben yn dal ar y ddaear. Roedd hynny'n golygu hefyd fod fy nhin inne i fyny yn yr awyr. Yna, pan gododd e'r pen blaen, roedd fel bod ar swing. Does dim rhyfedd fod camelod yn cael eu disgrifio fel llongau'r anialwch. Ro'n i'n barod felly am y gwaethaf yn yr Aifft.

Os aeth y tridiau cynta'n well na'r disgwyl, gwaethygu wnaeth pethe yn ystod y pedwerydd diwrnod. Roedd Alun yn ddigon hapus ar y snorclio'r diwrnod cynt ond, o ran y nofio, roedd gwaith i'w wneud o hyd ar yr amseru. Ro'n i'n lledu fy nghoesau ond yn methu cofio'u cau nhw wedyn. Ro'n i'n beio blinder. Os bues i mas yn yr anialwch y diwrnod cynt, ro'n i nawr mewn mwy o anialwch. Wrth snorclio'r diwrnod cynt roedd y fflipyrs am fy nhraed, ac yn arbennig y masg a'r biben, wedi bod yn fwy o gymorth nag a freuddwydiais i. Fe fydde cael y masg yn y pwll nofio yn help mawr.

Roedd y seicolegydd hefyd yn teimlo mai blinder oedd i'w gyfrif am y cam yn ôl. Ro'n i wedi gwthio'r ffiniau gymaint fel i hynny gael effaith ar y corff a'r meddwl. Roedd ceisio cyflawni cymaint yn ystod y tridiau cyntaf yn dweud ar rywun. Yr ateb oedd ymlacio gyda sesiwn tylino. Hwn oedd y tro cyntaf erioed i fi gael y fath driniaeth, ac wrth i'r arbenigwr ryddhau a llacio fy nghyhyrau roedd Wil yn gorwedd yn yr haul yn darllen *Farmers Weekly*. Wyddwn i ddim bod y cylchgrawn yn cyrraedd yr Aifft. Roedd y tylinwr wedyn yn neidio â'i draed ar fy nghefn i er mwyn llacio'r ysgwyddau, a gwthio'i benelin mewn i'n eis i. A thra bo hynny'n digwydd roedd Alun wrthi'n cydio yn fy mhigyrnau ac yn tynnu ar fy nghoesau i gan lefaru, "Nôl! Ymlaen! At ei gilydd!' Dyna beth o'n i fod ei wneud yn y pwll. Fe deimlwn fel petawn i'n cael fy nhynnu'n ddarnau. Fe wyddwn i nawr sut oedd *wish bone* yn teimlo wrth y bwrdd cinio ar ddydd Nadolig.

Ymhen deg munud arall, daeth galwad yn ôl i'r pwll. Ond na, roedd yn well gen i fynd am drip i'r dre gyda Wil, a galw mewn siop barbwr i olchi 'ngwallt er mwyn cael yr halen allan. Ac yna'i dorri. Ond roedd y cam nesaf, sef y siafio, yn arteithiol. Fe allwn i dyngu nad siafio oedd y dyn ond yn hytrach rhwygo'r blew allan o'r gwraidd. Ac fe aeth Wil drwy'r un driniaeth.

Ond dim ond gohirio'r hyfforddiant wnes i. Trannoeth, ffwrdd â ni i Barc Cenedlaethol Ras Muhammad, lle'r oedd unig rîff cwrel hemisffer y gogledd. Fe ddeifiodd Alun a'i wraig, Moira, i'r dyfnderoedd tra bod Wil a fi'n gorweddian. Fe ges i hunllef y noson cynt – bod lawr yn y dyfnderoedd a'r biben yn disgyn allan o 'ngheg i. Yn ôl Alun, y cyfan fydde angen ei wneud, petai hynny'n digwydd, fydde ei gwthio'n ôl. Ond haws dweud na gwneud. Ddim ar y stryd yn Aberystwyth fyddwn i, ond ugain troedfedd o dan y dŵr. Ond diawch, roedd y snorclio yma'n apelio.

Roedd Alun yn siomedig. Ar ôl y trydydd diwrnod roedd e'n disgwyl pethe mawr. Roedd e'n bles iawn hyd at ddechrau'r pedwerydd diwrnod, pan ddechreuodd pethe fynd o le. Fe deimlai mai fy anallu i ymlacio oedd y gwendid. A beio'i hun oedd Alun am y methiant. Yn wir, roedd Alun yn ofni'n dawel bach fy mod i wedi rhoi'r ffidil yn y to.

Ar y pumed diwrnod, ar ôl dychwelyd o Ras Muhammad roedd Alun yn benderfynol o 'nghael i'n ôl i'r pwll. Ac fe fentrais yn ôl – heb y fflipyrs ond yn gwisgo'r masg snorclio. A dyma siario cyfrinach ag Alun. Fy mai mawr i yw, os ga i her, yw bod yn rhaid mynd ati ar unwaith i ateb yr her. Dim aros a meddwl ond rhuthro fel tarw at recsyn coch. O ymlacio a chymryd pethe'n hamddenol ro'n i'n teimlo fel dyn arall. Roedd y meddwl yn cael amser a'r tempo neu'r amseriad yn llawer gwell. A'r coesau'n gwrando ar y meddwl. Doedd Alun ddim yn ddyn i ildio. Roedd e'n benderfynol o lwyddo. Yn wir, fe ofynnais iddo fe a oedd e'n perthyn i Herod!

Yn ôl y seicolegydd eto, pan fyddwn ni mewn sefyllfa o orfod wynebu ofn, a gwybod nad oes modd ei osgoi, bydd cael rhywun efo ni y medrwn ni ddibynnu arno, rhywun sy'n medru'n darbwyllo bod y dasg yn bosib, yn fodd i wynebu'r ofn. Mae dysgu nofio mewn grŵp o bobol, medde hi, yn gallu bod yn haws oherwydd bod pobol eraill o gwmpas yn cefnogi. A does neb eisiau colli wyneb, a neb sydd am ymddangos nad yw'n ddewr yng nghanol ffrindiau.

A wir i chi, dyma fentro – a llwyddo i nofio hyd y

pwll, er mawr bleser i Alun. Ro'n i'n barod nawr i fynd i'r môr unwaith eto. Doedd arna i mo'i ofn bellach, dim ond bod ei anferthedd yn gwneud i fi ryfeddu. Ond nawr fe ddeuai'r her fawr o nofio heb y fflip-fflops. Fe wnawn i gadw'r snorcel, neu'r biben am y tro. Pam lai? Wedi'r cyfan mae bob car angen ei egsôst.

Fe wawriodd y chweched diwrnod, a 'nôl â fi i'r môr. I fyny tua'r gogledd aethon ni, i fan hollol wahanol. Roedd y gwynt o'r gogledd yn cyffroi'r dŵr ac yn troi'r môr yn debycach i lifeiriant afon. Ond mwy o lwyddiant, ac yna'n ôl i'r gwesty ar gyfer noson o gwsg cyn y seithfed dydd tyngedfennol. Ond cyn clwydo fe aeth Alun ati yn y pwll i ddysgu dull newydd i fi, sef troi'r corff wrth dynnu'r breichiau drwyddo. Hwn oedd y *crawl*. Tynnu a throi. Tynnu a throi. Ond cefais fy rhybuddio fod hwn yn ddull blinedig. Gydag amser yn brin roedd Alun bron iawn yn bwlian. Ond gyda'r bwriad gorau. A do, fe lwyddais, ac Alun yn dathlu fel rhywbeth gwallgof. Nid yn unig dysgu nofio wnes i ond, yn bwysicach fyth, llwyddo i goncro ofn.

Dyma'r bore olaf yn gwawrio a'r stumog yn gwegian. Ro'n i wedi bwyta rhywbeth nad oedd yn cytuno â fi. Teimlo'n sâl fel ci. Ei chael hi'n amhosib meddwl hyd yn oed am wthio blaen un troed i'r dŵr. Roedd pawb yn siomedig wrth gwrs. Ond dyma gysuro fy hun i fi fynd yn bellach na'r disgwyl. Tuag at ddiwedd y ffilmio roedd Cleif Harpwood am i fi feddwl am frawddeg gymwys i gloi. Y cyfan fedrwn i feddwl amdano, a finne yn nŵr y Môr Coch oedd, 'Ble ddiawl oeddet ti, Moses, pan oedd arna i dy angen di?!'

Ond ni fu'r ymarferiad yn ofer. Ro'n i o leiaf wedi concro fy ofn o ddŵr ac yn barod i wynebu dau ddiwrnod yn y pwll nofio 'nôl yn Aberystwyth. Dyma esbonio wrth Stephen y byddai'n hollbwysig glynu at y snorcel a'r fflip-fflops. Ond nawr roedd Celine yn medru cael cwmni Tad-cu yn y dŵr gyda'i ffrind, Elliw. A dyna sioc gawson nhw! Ac uchafbwynt yr holl her oedd medru herio'r ddwy mewn ras. Iawn, hwyrach mai fi oedd yr unig nofiwr yng Ngheredigion i ddefnyddio snorcel a fflip-fflops mewn pwll nofio cyhoeddus. Ond haleliwia! Ro'n i'n nofio!

Mae arna i o hyd ofn cathod, tywyllwch, uchder a phigiadau a llawer iawn o bethe eraill, ond does arna i ddim ofn dŵr bellach. Cofiwch, fe es i drwy uffern cyn llwyddo i goncro'r ofn hwnnw. Ac fe sylweddolais fod nofio yn union fel dysgu reidio beic – unwaith ddysgwch chi, wnewch chi byth anghofio. Ydw, rwy'n dal i fedru nofio – cyn belled fod gen i'r masg a'r biben. Fe wna i fynd i'r afon weithiau, gan ofalu bod y lan yn agos. Wel, does neb yn berffaith, oes e?

Ond wyddoch chi beth? Yn yr Aifft fe ddysgais i rywbeth arall yn ogystal â nofio. Fe ddysgais pam, mewn gwirionedd, y gwnaeth Moses agor y Môr Coch. Nid er mwyn ffoi rhag Pharo yn unig wnaeth e hynny. Na, y gwir reswm oedd am na fedre Moses nofio. A doedd yna ddim welingtons yn bod yn y dyddiau hynny.

10

Teulu'r Garreg Ddu

Gŵr heini, mab y llethrau
Na chwennych glod na breintiau;
Mae'n fodlon yn ei filltir sgwâr,
Cynefin gwâr ei deidiau.
Fe ŵyr am ffau pob llwynog
O'r Cymdy i Langynog,
Mae'n arwr bro fel heliwr hy'
A'i chwedlau lu yn enwog.
Cymydog ffeind, dihafal,
Mae'n ffrind i bawb drwy'r ardal,
Hysbys i bawb y rhydd 'rhen Don
Ei roddion yn ddiatal.

ERBYN HYN MAE *Cefn Gwlad* wedi bod yn rhedeg yn ddi-dor am dros dri degawd. Mae hynny'n golygu i ni gynhyrchu rhai cannoedd o raglenni erbyn hyn. Un cwestiwn a gaiff ei ofyn i fi'n aml yw, a oes gen i ffefryn o'u plith i gyd? Rwy'n cofio rhywun yn holi'r canwr Meic Stevens unwaith beth oedd ei hoff gân o'i gyfansoddiad ei hun. Ei ateb oedd bod ei ganeuon e'n union fel ei blant. Roedd e'n eu caru nhw i gyd. Felly fydda inne'n teimlo wrth edrych ar raglenni *Cefn Gwlad*.

Portread ffurfiol. Rhaid cario ffon bob amser.

John, gyda'i ffefryn o blith y cŵn, sef Bob.

Gyda fy hoff gŵn, Roy a Craig.

Tarw stoc Berthlwyd, Iwrch Limited Edition.

Un o greaduriaid Buches Nantrhys.

Y criw gwyliau wrthi'n gwledda. Un o'm pleserau mwyaf!

Yn Iwerddon ar gyfer ffilmio rhifyn o *Rasus*.

Gyda'r hen gyfaill, Trebor Edwards, yn y Sioe Fawr.

Derbyn Cwpan yr FUW am fy nghyfraniad i fyd amaeth. Derbyniais wobr debyg gan yr NFU.

David Gravell, a ddarparodd gar y cwmni ar gyfer *Cefn Gwlad* am bum mlynedd.

Lluniau aelodau Clwb Ffermwyr Ifanc Llanilar yn yr 1980au.

Aelodau Clwb Ffermwyr Ifanc Llanilar ar ôl ennill Rali'r Sir, camp a gyflawnwyd bum gwaith.

Ffermwyr Ifanc y Flwyddyn: John George a Richard Tudor.

Ann Evans (Tudor erbyn hyn),
Brenhines Clwb Ffermwyr Ifanc
Ceredigion, 1983.

Wyn Evans, Cadeirydd presennol
Pwyllgor Da Byw, NFU Cymru.

Aelodau Clwb Ffermwyr Ifanc Llanilar a enillodd y gystadleuaeth Siarad Cyhoeddus Cymraeg dan 26 oed. O'r chwith i'r dde: Alwyn Davies, Gareth Davies, Ann Tudor, Hugh Tudor (cyn-lywydd y Sir).

Criw drama 'Y Practis', 1979.

Olwen gyda Sheila Brennan, Brenhines Sirol y Ffermwyr Ifanc, a John Betws, Ffermwr Ifanc y Flwyddyn.

Cael fy anrhydeddu ym mlwyddyn fy Llywyddiaeth o'r Sioe Fawr yn Llanelwedd.

Atgof arall o Sioe 2010, a minnau'n Llywydd.

Mwynhau Sioe 2010 gydag Olwen. Un o anrhydeddau mwyaf fy mywyd fu cael bod yn Llywydd Sioe'r Cardis.

Moment fawr – dal tlws Cymrawd BAFTA Cymru.

Cael fy nerbyn yn Gymrawd Prifysgol Aberystwyth yng nghwmni'r Arglwydd Elystan a Derec Llwyd Morgan.

DAI JONES

Ehedodd gyda'r adar-a hedeg
drwy'r wlad gyda' i drydar;
hwn frenin ein gwerin gwâr,
llawn o hwyl yw Llanilar.

Englyn Tudur Dylan Jones a gaiff fod ar fy ngharreg fedd.

Criw ffyddlon *Cefn Gwlad* ers blynyddoedd.

Ond petai rhaid i fi ddewis, fe wnawn i enwi'r rhaglen honno am Don Garreg Ddu a'r teulu. Fe wnes i sôn yn *Fi Dai Sy' 'Ma* am ambell ddigwyddiad wrth i ni ffilmio'r ddogfen wreiddiol. Ond gymaint fu llwyddiant y rhaglen gyntaf honno fel i fi ddychwelyd ddwywaith, yn 1989 ac 1996. A dyma gyfle nawr i fanylu a cheisio esbonio pam mai hanes teulu'r Garreg Ddu, dair milltir o Lanrhaeadr-ym-Mochnant, yw'r profiad sy'n sefyll allan uwchlaw pob un arall.

Cartref Don Morris ac Eunice, ei wraig, oedd y Garreg Ddu, nhw a'r ddau fab, Richard a Dei, neu i'w ffrindiau, Dico a Bando. Roedd yna fab arall hefyd a merch, y ddau wedi gadael y nyth. Yn anffodus mae Don ac Eunice bellach wedi'n gadael, ond mae'r meibion yn dal yno – Dico wedi codi tŷ newydd fflam yn y Garreg Ddu ac yn byw yno. Mae Bando wedi prynu tŷ i lawr yn y pentre.

Fe fyddwch chi'n cofio rhai o anturiaethau'r rhaglen gynta honno. Portread o Don ei hun gafwyd, dyn oedd yn dal i goleddu'r hen ffordd Gymreig a Chymraeg o fyw. Fe'i gwelwyd yn clirio'r lôn o gerrig, rhwng y tŷ a'r adeiladau allanol, gan eu llwytho i gar llusg y tu ôl i Bess, y gaseg wedd ddeuddeg oed. Cofiai Don am gymaint â hanner dwsin o geffylau yn y Garreg Ddu.

Fe'i gwelwyd wedyn yn cario tail a dadlwytho'r tail hwnnw bob chwe llathen. Defnyddiai'r hen enwau traddodiadol, sef trwmbel i gario tail a throl i gario gwair. Fe'i ffilmiwyd yn aredig y llethrau gyda'i aradr uncwys. Rhwng cyrn yr aradr roedd e'n annog yr hen Bess yn ei blaen gyda'i 'Ty'd 'mlaen, Bess!' a'r hen gaseg ffyddlon yn ymateb yn ufudd. A dyna i chi eironi wrth i ni ffilmio. Gwrthododd y tractor gychwyn a'r hen Bess yn rhoi plwc iddo er mwyn cael yr injan i gydio. Meddyliwch, un celrym (*horse power*) yn llusgo peiriant o hanner cant celrym. Mae yna destun dameg fan'na, siŵr o fod.

Yno ar y llethrau uwchlaw'r cwm roedd Don yn ei nefoedd. Ni fynnai newid byd â neb. Soniodd uwch paned yn y tŷ amdano ef ac Eunice yn cyfarfod am y tro cynta, a hynny mewn noson lawen yn y Llan. Aeth ymlaen i sgwrsio am ei ddau hoffter mawr. Un oedd hela. Y llall oedd gwylio reslo. Mae'r rhaglen ddogfen honno'n dal i oedi yn y cof. Dim rhyfedd iddi ennill gwobr am y ddogfen deledu orau yng Ngŵyl Geltaidd Killarney'r flwyddyn wedyn.

Yna, ar gyfer rhaglen Nadolig 1989 fe aethon ni'n ôl i'r Garreg Ddu ar gyfer creu rhaglen awr yn portreadu'r pedwar tymor, gan gychwyn yn nhrymder gaeaf a'r eira'n drwch. Fe gawson weld Don yn arwain Bess, a honno'n cario dau bwn o borthiant i'r defaid ar y llechweddau. Roedd Bess yn disgwyl cyw rywbryd tua dechrau mis Mai. Bu Don yn hel atgofion am y rodeos a arferai fod yn rhan o sioeau lleol lle cafodd gryn lwyddiant gyda'r gamp.

Dyma alwad wedyn gan gymydog o ffermwr yn dweud bod llwynoges wrthi'n lladd ŵyn. Felly, draw â ni yn griw gyda gynnau a chŵn Don. Ar y ffordd gwelsom oen marw, ei ben wedi'i larpio. Gyrrwyd dau o ddaeargwn Don i mewn i warin llwynogod a llwyddodd Don i dynnu cenawes allan gerfydd ei gwar.

Yn gynnar ym mis Mai ganwyd cyw i Bess a chafodd ei enwi'n Diwc. Erbyn hyn roedd hi'n dymor wyna ac Eunice yn gwasanaethu fel bydwraig. Toc roedd Bess yn ôl yn y trasys ar gyfer llusgo coed tân.

I fyny'r garn mewn harnes
Yn fore llafuria hyd heuldes,
Dyna bâr yw Don a Bess,
Rhai hydrin a dirodres.

Do, llwyddodd Bess i lusgo'r boncyffion i fyny'r llethr heb unrhyw drafferth, a finne'n cropian ar draed a dwylo. Aethom ati wedyn i dagio lloi cyn eu troi allan. Cofiai Don am y dyddiau pan fyddai'n hau a chywain ceirch. Ac am ddiwrnod dyrnu a fydde weithiau'n ymestyn i ddau ddiwrnod. Yna troi am y das redyn i dorri baich i'w roi o dan Bess i'w chadw'n ddiddan. Wedyn nodi'r ŵyn â'r marc 'M' yn goch ar eu cefnau a thorri eu clustiau, torri blaen y glust dde, a stwmp o dan y chwith.

Fe aethon ni un noson i weld y reslo yn Neuadd y Llan, a Don yn mynd i ysbryd y noson gan neidio i'r sgwâr i geisio achub croen un o'r cystadleuwyr. Roedd Don yn mynnu cael reslo glân yn hytrach na reslo budr.

Un o'r gorchwylion caletaf fu cywain gwair yn y gambo ddiolwyn, sef palat gyda pholyn ar bob cornel a Bess yn ei lusgo, a Don, Eunice a finne'n llwytho. Draw â ni wedyn â'r llwyth i'r gowlas a Don yn medru tyngu na fethodd yr un cynhaeaf gwair erioed. Gresynai fod yr hen arferion wedi dod i ben. Doedd

neb yn dod i helpu ei gilydd bellach. Pawb drosto'i
hun oedd hi.

Aethom ar ymweliad wedyn â sêl olaf y Llan ar safle
lle bu arwerthiannau ers blynyddoedd maith.

Rhaid mynd i'r Llan i werthu
Y fawnog cyn gaeafu,
Yn bedwar gwanwyn yn ddi-log
Bu'r wlanog yn cenhedlu.

Torri rhedyn â phladur oedd y gorchwyl nesaf a Don
yn cofio'r dyddiau cynnar pan fu'n was bach am ddwy
flynedd, gan ennill dwy bunt a chweugain yr wythnos.
A dyma ychydig o gawdelu tafodieithoedd – Don am
roi min ar lafn ei bladur, a finne am roi awch ar lafn fy
mhladur i.

Dal i hel atgofion wnâi Don, cofio'r gwyliau diwethaf
iddo ef ac Eunice dreulio gyda'i gilydd. Eu mis mêl
oedd hwnnw, gwyliau a dreuliodd y ddau yn Lerpwl.
Oedd yna unrhyw le'n arbennig yr hoffai fynd ar
wyliau? Oedd, fe hoffai dreulio wythnos yn Awstralia.
Ie, wythnos yn Awstralia. Fe gymerai ymron wythnos
i gyrraedd yno!

Ymlaen â ni wedyn i dorri ffosydd, cyn troi am y
cwrdd diolchgarwch gyda chymydog, Gwilym Jones,
Tŷ Cerrig, yn gweddïo, a'r gweinidog, y Parchedig
Raymond Hughes, yn gwahodd pobol y dyffryn a'r
bryniau, y cymoedd a'r llechweddi i gydaddoli.

Y ddau fab a oedd yn dal adre oedd canolbwynt y
drydedd raglen a ddangoswyd yn gynnar yn 1996. Pan

gyrhaeddais, dyma Dico a Bando'n dod i 'nghyfarfod i gyda dwsin a mwy o gŵn – cŵn defaid, daeargwn a hyd yn oed filgi neu ddau. Roedd y defaid olaf wedi eu corlannu ar gyfer eu cneifio, ond bron iawn nad oedd yno fwy o gŵn nag o ddefaid, a'r haid yn rhuthro a neidio o gwmpas fel pethe wedi eu meddiannu. Roedd hi'n arferiad gan y brodyr i fynd â'r cŵn am dro yn gynnar bob nos. Ac roedd gan bob ci ei enw. Sut fedrai'r brodyr gofio enw pob un, does gen i ddim syniad. Roedd yno Siwsi a Jiwdi a Joci yn eu plith, ac ambell enw mwy dyfeisgar fel Dŵli a Hovis. Toohey wedyn, sef enw cwrw o Seland Newydd. Ac am ryw reswm anesboniadwy, Bobby Robson.

Pan gyrhaeddais i roedd Eunice wrthi'n bwydo'r ŵyn llywaeth, ac yn y cyfamser roedd Dico'n brysur yn cneifio'r olaf o'r defaid. Gwaith Bando oedd lapio'r gwlân. Teimlo oedd Dico fod pobol wedi mynd ati i gneifio braidd yn rhy gynnar. Ond wedi tywydd llethol roedd yr hen ddefaid yn falch cael gwared o'u cnu. Ganol fis Mai fydde'r rhan fwyaf yn dechrau ar y cneifio. Fe fu amser pan fydde Dico'n mynd i Seland Newydd dros y tymor cneifio allan yno, hynny am un mlynedd ar ddeg yn ddi-dor. Fe allai gofio bob cam o'r daith y tro cyntaf iddo fynd. Mynd allan wnaeth e gyda ffrind o Feddgelert oedd wedi bod allan unwaith cyn hynny. Tipyn o fenter. Ar y dechrau doedd Dico ddim ond yn cneifio tua dau gant o ddefaid bob dydd, medde fe. Dim ond dau gant? Doeddwn i ddim wedi cneifio cymaint â hynny mewn oes! Roedd disgwyl i gneifwyr profiadol gneifio tua thri chant y dydd.

Roedd hi'n werth gweld modur Dico. Roedd e fel sgip, yn llawn offer cneifio a gwahanol geriach. Roedd y sêt ôl fel rhyw lolfa, yn llawn papurau, cylchgronau a thrugareddau o bob math, gan gynnwys poster yn hysbysebu Cneifio Corwen wedi ei lynu ar un o'r ffenestri. Ac ar sêt flaen y Ffordyn bach roedd bag cysgu, dillad nos a bag lledr yn llawn gwaith papur. Ie, stafell fyw, stafell gysgu a swyddfa'n un, a hynny ar bedair olwyn. Yn ôl Dico roedd e'n gar handi ar gyfer caru hefyd. Ond ble câi e a'i gariad le? Dim ond Duw a Dico a'i gariad wyddai'r ateb.

Da oedd gweld atgof byw o'r ymweliad cyntaf. Roeddwn i'n cofio'r hen gaseg, Bess, a hyfryd oedd gweld ei bod hi'n dal yn frenhines y lle. Roedd Bando'n ei harwain ar draws y clos a chyw benyw yn ei dilyn. Fe ffrwynodd Dico'r cyw ond doedd yr eboles fach ddim yn rhyw hapus iawn. Roedd hi'n strancio ac yn cicio. Yna, dyma hi'n plannu ei charnau yn y ddaear. Er yn ddim ond deufis oed, fe ddaliai ei thir fel gelen, yn union fel petai hi wedi ei hangori. Fe aeth yn gystadleuaeth *tug-of-war* rhwng y cyw a Dico. Yn wir, fe fu'n rhaid i fi roi help llaw cyn llwyddo i'w symud. Ond cyn hir, dyma hi'n caniatáu i fi anwesu ei thrwyn. Dim ond mater o amser fydde hi cyn i'r cyw bach blygu i'r drefn. Ond fe fydde ei angen yn fuan gan fod yr hen Bess, ei fam, yn mynd yn hen.

Am Don, doedd e ddim yn gwastraffu'r un funud wnâi Duw ei rhoi iddo. Llifio coed tân oedd e pan gyrhaeddais i. Nid bod angen. Doedd yna ddim aelwyd gynhesach nag aelwyd y Garreg Ddu ar wyneb daear. Sylwais ar y dwylo mawr, dwylo fel rhofiau, a'r rheiny'n gynefin â gwaith. I mewn â fi i'r tŷ am sgwrs yn y gegin ffrynt, a Bando'n cofio am ei gampau fel rhedwr yn nyddiau ysgol. Fe fu yna ar un adeg ras leol o naw milltir, ac ar y cynnig cyntaf fe fu Bando bron â'i gwneud hi. Ond fe'i pasiwyd ar yr eiliad olaf gan ei frawd Tom. Ond ar y silff ben tân roedd aml i gwpan a thlws yn tystio i ddawn Bando fel rhedwr.

Dwy filltir oedd y Garreg Ddu o'r pentref, ac roedd y bechgyn yn cofio cerdded ar draws y caeau i'r capel bob bore dydd Sul. Cael cinio wedyn yn y Llan cyn mynd i'r capel eto yn y prynhawn. Roedd Don wedi ei ethol yn flaenor. Ond doedd Bando ddim yn gweld llawer o obaith y gwnâi e rywbryd efelychu ei dad a chael eistedd yn y sêt fawr. Yn wahanol i'w frawd, Dico, doedd Bando ddim wedi teithio rhyw lawer. Doedd dim llawer o uchelgais ganddo o ran teithio. Ei ddymuniad fydde mynd i'r Alban i weld dulliau ein cefnderwyr Celtaidd o ffermio. Ei unig ddiddordeb o ran digwyddiadau cefn gwlad bellach oedd hela.

Roedd Dico, ar y llaw arall, wedi bod yn dipyn o daflwr dartiau ac yn aelod o dîm dartiau'r Hand yn y pentref. Golygai hynny chwarae yn erbyn timau tafarndai eraill yn Llangynog a Phen-y-bont-fawr a draw i Lansanffraid. Ond beth oedd yna ar gyfer bechgyn ifanc y fro ar nos Sadwrn? Y tueddiad bellach, yn ôl Dico, oedd i griw o fechgyn ifanc lleol hurio bws mini a theithio draw i Groesoswallt neu dros y Berwyn i'r Bala.

Gyda'r tymor cneifio bron drosodd, beth fydde'n wynebu'r brodyr? Yn uchel ar y rhestr bydde mynychu sioeau bach y wlad cyn mynd i'r Sioe Fawr yn Llanelwedd. Y gobaith oedd y bydde cyfle i fynd â rhai o'r cŵn i rasys milgwn neu rasys daeargwn yn rhai o'r sioeau hynny. Ond a wnâi Dico fynd dramor i gneifio'r flwyddyn honno? Roedd e'n dal heb benderfynu. Ar ôl methu'r ddwy flynedd cynt fe hoffai fynd yn ôl i Seland Newydd. Ond roedd gwaith i'w wneud gartre.

Dyma Don yn cyrraedd gyda llond côl o goed tân i wneud yr aelwyd hyd yn oed yn gynhesach. Ond allan â ni, ac ar ben ucha'r clos roedd casgliad o hen geir. Yn wir, ymddangosai'r llecyn fel mynwent i geir, a Dico'n fy arwain o un i'r llall gan gofio ambell stori am bob un yn ei dro. Hen gar Tom ei frawd. Un o'i hen geir ef oedd yn dal mewn cyflwr digon da. Ond wedi cael ei adael wedi i Dico gael cynnig ei gar presennol am ganpunt. Erbyn hyn roedd yr hen gar yn storfa coed tân. Ond tipyn o ddirgelwch oedd y pâr o sgidiau melyn o dan un o'r seddi. Nid ceir oedd unig gynnwys y fynwent fecanyddol. Yma ac acw roedd hen dractors yn rhydu. Roedd y cof a'r atgofion amdanynt yn rheswm da dros eu cadw.

Yn sydyn fe ymddangosodd yr haul, a dyma gyfle i Dico lwytho'r domen dail i'r trelyr, a hwnnw wrth gwt tractor newydd fflam. Ie, Renault melyn. Tipyn o newid o ddyddiau'r gaseg a'r drol a ddefnyddiai Don, y tad, gynt. Ond llafur bôn braich oedd hwn, gyda Dico a Bando'n llwytho â fforch. Fe fu cost y tractor newydd yn ddigon, heb sôn am brynu llwythwr hefyd. Fe fu Bando'n ddigon call i ddiflannu i rywle wedyn.

Dyna beth oedd diwrnod braf. Yr haul yn gwenu

ac awel ysgafn yn chwythu o'r Berwyn a ninnau bymtheg cant o droedfeddi uwchlaw'r môr ar fryncyn hyfryd. Fel y Nefoedd, lle anodd ei gyrraedd ond yn werth y drafferth o fynd yno. Diolch byth nad oedd yno fforch sbâr! Ond fe siaradais i'n rhy glou. Gan i Bando adael, yr oedd yno un sbâr. A dyma bitsho mewn gyda Dico.

Gyda'r gwasgarwr tail yn llawn fe ddychwelodd Bando i yrru'r tractor, a Dico'n datgelu nad oedd gan ei dad unrhyw ddiddordeb mewn tractor. Dim ond Bess wnâi'r tro i Don. Pedair olwyn oedd diléit y bechgyn, ond pedair coes Bess oedd diléit Don.

'Nôl ar y clos roedd y cŵn yn cwrso'i gilydd yn haid swnllyd. A dyma gorlannu nifer ohonyn nhw yn y car, un yn siario sedd y teithiwr gyda fi a'r lleill yn siario'r sedd ôl gyda Bando. Bant â ni gydag un ci bach ar ôl a hwnnw'n rhedeg nerth ei bawennau ar ein hôl. Roedd hi fel bod yn Arch Noa ond mai dim ond un rhywogaeth oedd yng nghar Dico. Erbyn hyn roedd un o'r cŵn yn eistedd yng nghôl y gyrrwr â'i ben allan drwy'r ffenest fel petai'n ceisio dal y gwynt yn ei geg.

Y bwriad oedd hel cwningod yn Llanrhaeadr. Dyma barcio islaw'r rhaeadr enwog a roddodd i'r ardal ran o'i henw. Neidiodd y cŵn allan drwy'r ffenestri agored a ninnau'n gorfod rhedeg nerth ein traed i'w dilyn. Y cŵn yn bracsu drwy'r afon a ninnau'n dilyn dros y rhyd. I fyny'r llethrau â ni a thrwy'r rhedyn yn y gobaith o godi cwningen neu ddwy. Ac yn wir, dyma godi un, a'r cŵn yn neidio dros y ffens ar ei hôl. Dianc wnaeth hi ond fe fachon ni ar y cyfle i ddringo i Ben y Pistyll gan ofalu cau'r clwydi o'n hôl. Baglu dros gerrig a chreigiau wrth ddringo'r llethr, i fyny â ni drwy'r coedydd pin ac ymlaen at dop y rhaeadr.

Roedd hi'n dipyn o ddringfa i fyny'r llechwedd serth ond, yn ôl Dico, fe fydde dod i lawr yn waeth fyth. Yn wir, fe aeth mor serth fel y bu'n rhaid defnyddio fy nwylo i ddringo. Roedd y cŵn, hyd yn oed, yn cael trafferth, yn enwedig y daeargwn â'u coesau byr. Fe fu'n rhaid cael hoe fach ar y llechwedd gan fod yr hen frest yn tynnu. Doedd neb yn fwy diolchgar na'r cŵn. Ymhen ychydig dyma ailgychwyn ac o'r diwedd, cyrraedd y copa a thafodau'r cŵn yn hongian allan. Roedd dŵr glân y rhaeadr yn eu disgwyl. A dyna i chi olygfa o'r copa. Roeddwn i'n syllu ar un o ryfeddodau'r byd. Lawr yn y gwaelod roedd pobol yn symud o gwmpas fel morgrug. Disgynnai'r rhaeadr dan ein traed yn unionsyth a dwndwr y dŵr yn ein byddaru.

Ie, Pistyll Rhaeadr, un o ryfeddodau natur, gyda miloedd yn cael eu denu yno bob blwyddyn. Ar ôl cyrraedd 'nôl i'r gwaelod roedd yna arddangosfa gneifio yn y ganolfan. Ond roedd ganddon ni amgenach peth i'w wneud, sef archebu peint yr un i dorri'n syched. I'r brodyr, roedd dringo i gopa'r graig yn rhywbeth wythnosol bob dydd Sadwrn wrth iddyn nhw ymarfer yr hen gŵn.

'Nôl â ni wedyn i'r Garreg Ddu. A'r gwaith o'n blaen ni? Dal ceffylau unwaith eto. Doedd pethe ddim wedi newid. Roedd y gaseg las, sef merch Bess, wedi bwrw ebol, a hwnnw heb ei ddal. Gyda nhw roedd y stalwyn mawr glas, tad y cyw coch. Hoffwn i ddim ceisio dal hwnnw. Fe fydde llawer o ffermwyr wedi gwneud pethe'n haws a mynd ar feic pedair olwyn i hel y ceffylau ar y bryniau. Ond roedd hogiau'r Garreg Ddu, fel eu tad, yn dibynnu ar draed.

Roedd y stalwyn yn bedair oed ac erioed wedi'i ddal. Ond wir i chi, fe roddwyd y ffrwyn am ben y gaseg yn weddol ddidrafferth. Yna tro'r ebol oedd hi. A daliwyd yntau'r un mor ddidrafferth. Dyma'u harwain lawr y lôn. Roedd y gaseg yn ddigon ufudd ond roedd y cyw yn cicio a strancio. Hwn oedd ail gyw'r gaseg. Fe gollodd y cyw cyntaf i ryw aflwydd neu'i gilydd. Colic, siŵr o fod. Fe ges i wahoddiad gan Dico i geisio gosod rheffyn am ben y stalwyn. Ond na, roedd anturiaethau'r ymweliad cyntaf hwnnw'n dal yn y cof. Yn y cyfamser fe ganiataodd y cyw i Bando anwesu ei drwyn. Roedd ffordd arbennig gan Bando. Mae'n siŵr gen i ei fod e'n cael yr un ymateb gyda merched y Llan. Ond wnaeth y llwyddiant ddim para'n hir. Dyma naid, a dyma strancio gwallgof a sgrechian a Bando'n gorfod dal wrth ben y rheffyn fel gelen. Ro'n i'n ofni y gwnâi'r cyw ei lusgo'r holl ffordd i Ben-y-bont-fawr. A Dico'n amau a fydde'r merched mor amharod i dderbyn mwytho ei frawd. Ond wedi cryn ddyfalbarhad daeth y cyw, fel ei fam, i oddef y ffrwyn.

Roedd gan Bando waith arall ar ffarm laeth bedair milltir i ffwrdd. Fe wnaeth roi cynnig ar weithio yno am wythnos ac roedd e'n dal yno ar ôl pymtheng mlynedd ac wrth ei fodd. Ei bleser mwyaf oedd cael bod yn sedd y tractor Massey Ferguson, a dyma ymuno ag ef ar y tractor a mynd draw i weld y fuches.

Mewn tymor pan oedd pawb yn cwyno am bris gwellt, roedd y bechgyn wedi cynaeafu rhedyn, a'r rheiny mewn byrnau. Don, y tad, oedd wedi torri'r rhedyn, a hynny â phladur. Ymhen tair wythnos bydde'r rhedyn wedi sychu digon i'w osod o dan y creaduriaid.

Allan â ni i'r llethrau unwaith eto gyda'r cŵn, yn y gobaith, y tro hwn, o ddal cwningen neu ddwy. Nid cŵn yn unig oedd ganddon ni'r tro hwn. Fe ddaeth Don â ffuret o'r enw Sam. I mewn â'r creadur main i dwll ac ar unwaith, fe boltiodd cwningen allan, a'r cŵn ar ei gwarthaf cyn iddi hyd yn oed gael ei thraed tani. Fe ddaeth Don â'r ffuret draw aton ni, a finne, sydd mor ofnus o gathod, yn crynu o weld dannedd miniog Sam. Fues i ddim hapusach erioed pan aeth Don â Sam draw at y meibion. Roedd Dico a Bando rhwng y brwyn, nid yn sisial ganu ond yn codi cwningod i'r cŵn gael eu hymlid. Fe flinodd Bando fwy na'r cŵn a bu'n rhaid iddo orwedd i gael ei anadl. Ar ben hynny roedd e wedi colli'i lais wrth weiddi ar y cŵn. A 'nôl â ni, nid gyda chwningen, ond gydag ysgyfarnog braf.

Gyda'r nos dyma fynd i'r rasys cŵn ym mhentref Llanrhaeadr a fi'n cael y gorchwyl o droi'r peiriant oedd yn llusgo'r ysgyfarnog ffug, sef cynffon llwynog. Fe gawson ni sawl ras, a chŵn y bechgyn yn rhoi cyfrif da o'u hunain wrth iddyn nhw gael eu hysu ymlaen i seiniau o 'Hw! Hw!'.

I gloi diwrnod a noson brysur rhaid oedd galw yn y dafarn leol am beint a chân. Ac er mawr bleser i Bando roedd reslo ar y bocs. Mae yna rai sy'n cael pleser yn y ddinas fawr, ond hogiau'r Berwyn yw Dico a Bando, a finne wrth fy modd yn eu cwmni. Ie, gwir gymeriadau cefn gwlad.

Daw atgofion am eiliadau tragwyddol yn y Garreg Ddu yn ôl yn aml. Saga dal y stalwyn ar y mynydd, er enghraifft. Fe gawson ni helynt i'w gael e lawr i'r clos a'i orfodi i'r sied. Yno fe gododd ar ei goesau ôl a dyma'i ben e allan drwy'r to. Fe giciodd fwced plastig melyn ag un o'i draed ôl. Synnwn i ddim nad yw'r bwced hwnnw'n dal heb ddisgyn hyd y dydd heddiw a'i fod e'n chwyrlïo yn y gofod fel rhyw loeren bellennig. Wedi i ni lwyddo i ffrwyno'r creadur anystywallt fe fues i'n ddigon gwirion i afael ym mhen y rhaff. Fe lusgodd y stalwyn fi ar fy mhen i'r ffos.

Teithio yn Fiesta Dico wedyn a Bando yn y cefn a'r dwsin cŵn yn gwthio mewn i bob twll a chornel. Fe agorais i'r ffenest gyferbyn â fi er mwyn cael awyr iach. Yna dyma gwningen yn croesi'r ffordd a'r cŵn yn neidio fel rhuthr moch Gadara ar fy mhen ac allan drwy'r ffenest. Son am Gŵn Annwn! Fe wnâi cŵn y Garreg Ddu eu llyncu nhw i frecwast!

Bu Bando'n dathlu noson ei ben-blwydd yn nhafarn y Three Tuns yn y pentre, sydd bellach wedi cau. Roedd ei gyfeillion, yn slei bach, wedi llogi Kissogram, merch ifanc wedi'i gwisgo fel plismones. A bu Bando'n brolio wrth bawb am wythnosau wedyn sut gafodd e 'radiogram' ar ei ben-blwydd.

Wna i fyth anghofio'r tro cyntaf gwrddais i â Don Garreg Ddu. Roedd hi'n hen ddiwrnod mwll ac yn bwrw glaw mân. A dyma fe'n dod i 'nghyfarfod i, a sach o gwmpas ei ysgwyddau. Fe allwn i'n hawdd fod yn syllu ar fy nhad-cu. A'r ysgydwad llaw, ei law dde anferth, yn cau am fy llaw dde i a'i gwasgu.

Ie, anfarwol! Braint fu cael adnabod Don Garreg Ddu a'i deulu.

11

Yma mae 'nghalon

UN PETH SY'N arwydd sicr eich bod chi wedi cyrraedd man arbennig mewn bywyd yw pan fydd beirdd yn dechre ysgrifennu cerddi amdanoch chi. Fel arfer mae'n rhaid i chi farw cyn derbyn y fath glod. Ond fe dderbyniais i lawer o gerddi a rhigymau dros y blynyddoedd. Mae un yn dod i'r cof nawr. A dyma'r llinellau fydd ar fy ngharreg fedd pan ddaw'r alwad. Fydd hynny ddim am sbel, gobeithio.

> Ehedodd gyda'r adar – a hedeg
>   drwy'r wlad gyda'i drydar,
> hwn, frenin ein gwerin gwâr,
> llawn o hwyl yw Llanilar.

Englyn a gyfansoddodd y Prifardd Tudur Dylan yw hwn ar gais cyfaill a ofynnodd iddo gyfansoddi englyn i fi ar fy mhen-blwydd yn 70 oed. Y noddwr hwnnw oedd Gareth Vaughan Jones, cyfarwyddwr gyda chwmni Telesgop sy'n gyfrifol am y gyfres *Ffermio*, a mab i'r diweddar Meirion Jones, sylfaenydd ac arweinydd Côr y Brythoniaid.

Bu'r ugain mlynedd diwethaf hyn yn bleser pur. Ond

ni ddaw pleser heb ambell boen. Fe fu 2016 yn flwyddyn drawmatig i fy wyres, Celine, ac i ni fel teulu. Roedd hi wrthi'n ymarfer tynnu rhaff gyda thîm Llanddewibrefi ar gyfer Rali Ffermwyr Ifanc y sir ym mis Mai pan deimlodd lwmpyn yn ei gwddw. Fe aeth at y meddyg ac fe wnaeth hwnnw ei danfon hi'n syth at arbenigwraig yn Nghaerfyrddin. Yno, fe gafodd sgan ac fe ganfuwyd ei bod hi'n dioddef o gancr y lymff. Wna i byth anghofio'r profiad o glywed am ei salwch am y tro cyntaf. Fe wnes i gyrraedd adre o ffilmio a gweld Olwen yn y drws yn disgwyl amdana i. Fe synhwyrais ar unwaith o'r olwg ar ei hwyneb fod rhywbeth o'i le. A dyma hi'n dweud wrtha i'n blwmp ac yn blaen,

'Mae gen i newydd drwg i ti, Dai. Mae cancr ar Celine.'

Roedd clywed y gair 'cancr' yn ddigon. Teimlai fel petai saeth yn trywanu fy nghalon. Ro'n i ar fin camu allan o'r car pan glywais y newydd. Fe gymerodd chwarter awr gyfan cyn i fi fedru gwneud hynny a chau'r drws ar fy ôl. Ro'n i'n syfrdan. Ond peth rhyfedd yw rhagluniaeth. Yno roeddwn i, yn fy nhristwch yn y tŷ yn sipian te heb ei flasu wrth fwrdd y gegin, pan alwodd ffrind a llawfeddyg yn Plymouth, Patrick Loxdale. Roedd ei frawd yn byw'n lleol yn Castle Hill. Fe sylweddolodd hwnnw ar unwaith fod rhywbeth o'i le, a dyma Olwen a finne'n esbonio wrtho beth oedd yn bod. Fe sicrhaodd hwnnw ni mai dyma'r math o gancr a oedd yr hawsaf i'w drin. Fe siaradodd Patrick ni drwy'r holl oblygiadau. Fe roddodd hynny gysur a hyder i ni. Phrofais i erioed gymaint gwahanol flas ar baned. Fe felysodd y te heb unrhyw angen am lwyaid o siwgwr. Fe drodd o wermod i fêl.

Do, fe gododd hyn ein calonnau ni. Ond roedd yr ofnau'n dal yno. A dyna i chi brofiad dirdynnol oedd hwnnw pan aeth Olwen gyda Celine i'r dre i brynu wìg ar gyfer sgileffaith tebygol y driniaeth. Yn ffodus, ni fu angen wìg arni. Chollodd hi mo'i gwallt. Chollodd hi mo'i hysbryd chwaith.

Fe ledaenodd y newydd am salwch Celine i bobman. A dyna pryd wnaeth Olwen a finne sylweddoli gymaint o ffrindiau oedd ganddon ni drwy Gymru gyfan, pobol yn galw, ysgrifennu a ffonio, yn cynnig help a chydymdeimlad. Roedd pob neges yn rhoi i ni fodd i fyw. Fe ddywedwyd wrth Celine y bydde angen deuddeg triniaeth cemotherapi arni. Ond wnaeth hi ddim digalonni o gwbwl. Yn wir, erbyn diwrnod cneifio roedd hi'n lapio gwlân fel petai hi'n holliach. Roedd hi wedi cael ei derbyn ar gyfer dilyn cwrs dysgu plant meithrin ym Mhrifysgol y Drindod Dewi Sant yng Nghaerfyrddin. Fe wnaeth hi gais am gael astudio adre nes i'r driniaeth ddod i ben. Ond er mawr siom iddi, gwrthodwyd ei chais. Fe ddywedwyd wrthi am ohirio mynd yno am flwyddyn. Ond fe ddaeth Prifysgol Aber i'r adwy a chaniatáu iddi astudio adre nes i'r driniaeth ddod i ben. Roedd hi eisoes wedi treulio hanner blwyddyn yn ymarfer yn Ysgol Llangeitho, ac wrth ei bodd yno.

Y newydd da oedd iddi lwyddo i goncro'r aflwydd ar ôl pum triniaeth cemotherapi. Ar ôl y driniaeth cemotherapi, derbyniodd Celine radiotherapi yn Abertawe. Erbyn hyn, daeth i driniaeth honno i ben hefyd. A do, fe gododd pwysau anferth oddi ar ein hysgwyddau. Mae hi'n ôl nawr yn rhoi help llaw ar y ffarm yn ei horiau hamdden, ac wrth ei bodd yn gwneud hynny, ac yn wahanol i fi mae hi'n ffoli ar gathod. Fe fu Ella fach mor ofalus o'i chwaer fawr yn ei salwch. Roedd hi'n llawn consyrn. Un dydd ro'n i wrthi'n rhoi chwistrelliad i ddafad a dyma Ella'n gofyn:

'Yw hynna'n mynd i wella'r ddafad?'

'Ydy,' meddwn i.

Ac Ella'n holi'n ddiniwed, 'Pam na roi di un i Celine hefyd iddi hi gael gwella?'

I droi at waith, bu'r gwaith cyfryngol yn barhad o'r hyn a fu. Fe gychwynnodd pethe i fi 'nôl tua 1966. Mae hynny'n golygu fy mod i wedi bod wrthi'n ddi-dor, bron, am hanner can mlynedd. Rhyw fân bethe ddaeth i'm rhan i gyntaf. Yna fe ddaeth y cyfle mawr, cael fy newis i gyflwyno *Siôn a Siân*. Penodwyd fi am chwe mis – ond fe drodd y chwe mis yn ddwy flynedd ar bymtheg.

Un o lwyddiannau *Siôn a Siân* oedd ei bod hi'n cael ei dangos ar amser teidi, sef amser swper nos Sadwrn, ac yn ddigon cynnar i'r gwylwyr fynd allan wedyn am ddiferyn neu ddau. Fe fu gen i amryw o gyd-gyflwynwyr, mwy nag a gafodd Harri'r Wythfed o wragedd. Ond fe gysylltir fi'n bennaf â Jenny Ogwen. Tua dwy flynedd yn ôl fe ffilmiwyd rhaglen arbennig i nodi hanner canrif y gyfres ym Mhafiliwn y Bont gyda Jen a finne a'r gyfeilyddes wreiddiol, Janice Ball, 'nôl gyda'n gilydd. Oedd, roedd y triawd yn gyfan unwaith eto wedi'r holl flynyddoedd. Seren y sioe oedd Clive Rowlands a'i wraig, Marged. Mae gen i feddwl mawr o Clive. Dyma ddyn sydd wedi cyflawni llawer iawn ac yn berchen ar hiwmor cwbwl unigryw. Mae Clive yn fwrlwm o ddyn. Am *Siôn a Siân*, rwy'n rhag-weld yr aiff ymlaen i ddathlu'r cant. Mae'n dal i fynd. Hyd yma dwi ddim wedi gwneud rhaglen *Cefn Gwlad* ar Clive. Ond rwy'n bwriadu gwneud.

Fe fues i'n gyflwynydd *Rasus* hefyd am ugain mlynedd. Mae *Cefn Gwlad*, wrth gwrs, wedi para am dros ddeg mlynedd ar hugain. A fedra i ddim cofio pryd wnes i gychwyn ar y rhaglen radio nos Sul, *Ar Eich Cais*.

Nid pob newid fu er gwell. Yn anffodus collwyd amryw o gymeriadau a fu'n ganolog i wahanol raglenni *Cefn Gwlad*. Dyna i chi Don Garreg Ddu, Joni Moch a Meri Pantafon. Mae'n ystrydeb, wrth gwrs, dweud fod yr hen gymeriadau wedi mynd ac na ddaw neb i lenwi eu sgidie nhw. Mae rhan gyntaf yr ystrydeb yn wir. Ond am yr ail, mae yna gymeriadau yma ac acw, ac amryw o'r rheiny'n bobol ifanc. Dydyn nhw hwyrach ddim yr un fath â'r hen stejyrs, ond maen nhw'n gymeriadau serch hynny.

Mae'n wir dweud hefyd nad yw'r cymeriadau mor niferus ag oedden nhw. Ry'n ni'n tueddu felly i ganolbwyntio mwy ar arbenigedd pobol bellach. Y trueni yw fod pobol heddiw yn fwy unffurf. Mae pobol yn dueddol o ddilyn yr un patrwm bywyd, gyda mwy a mwy o famau'n gweithio ac yn anfon eu plant i'r ysgol feithrin yn gynnar. Mae bywyd yn fwy unffurf, felly mae llai o bobol 'wahanol'. Ond maen nhw'n bod. A hwyrach fod yr hyn mae pobol yn ei wneud yn fwy diddorol heddiw na'r ffaith eu bod nhw'n gymeriadau.

Ond mae'n dal yn bwysig ein bod ni'n dangos i'r byd beth yw bywyd cefn gwlad, beth yw ffermio. Yn anffodus, ychydig o bobol ifanc heddiw sydd eisiau ffermio. A phwy all eu beio? Erbyn iddyn nhw gyrraedd y deunaw oed a mynd i goleg, fe fyddwn ni'n eu colli nhw. Yn wir, mae e'n ofid i fi beth sy'n mynd i ddigwydd i'r diwydiant amaeth o fewn y degawd nesaf. Fe feirniadwyd llawer ar y Blaid Lafur am genedlaetholi popeth. Ond heddiw mae cenedlaetholi'n digwydd heb i ni sylweddoli hynny. Mae e'n dod mewn drwy ddrws y bac.

Mae ganddon ni Gymdeithas Amaethyddol yma yn Nyffryn Ystwyth sy'n gwneud ei gorau. Ond mae yna fân swyddogion byth a hefyd yn ymyrryd, yn gofyn i ni faint o gig fedrwn ni ei gynhyrchu? Faint o laeth fedrwn ni ei gynhyrchu? Sut fedrwn ni gynhyrchu mwy? Rwy'n ofni mai'r hyn ry'n ni ei gynhyrchu fwyaf y dyddiau hyn yw slyri a thail. A biwrocratiaeth.

Rwy'n teimlo bod y Llywodraeth yn ystod y blynyddoedd diweddaf hyn wedi bod yn ddigywilydd tuag at y ffermwr. Rwy wedi cyfeirio eisoes at y pwyslais mawr ar yr angen i arallgyfeirio. Fe fues i'n lwcus, ers o'n i'n ifanc iawn, i arallgyfeirio i fyd y cyfryngau. Nid pawb sydd mor lwcus. Mae hyn wedi bod yn fodd i fyw i fi, rhyw ychydig o jam ar y bara, ac mae'n fonws fod gen i ddiddordeb yn y cyfryngau hefyd. O'r herwydd, dyw e ddim yn teimlo fel gwaith.

Ond dyma'r Llywodraeth yn dweud wrthon ni eto am arallgyfeirio. Jawch, mae pob ffermwr wedi gwneud hynny. Ry'n ni'n gweithio saith diwrnod yr wythnos eisoes. Nawr maen nhw'n disgwyl i ni arallgyfeirio ar ben arallgyfeirio. Yn ein hardal ni mae yna lawer iawn o'r gwragedd ifanc yn athrawesau. Mae hynny'n help garw i'r ffarm ei hunan ac i gadw'r blaidd o'r drws. Anaml y bydda i'n teimlo'n isel ond un peth sy'n gwasgu ar fy enaid i yw'r ffordd mae'r Llywodraeth a chyrff fel DEFRA yn trin ffermwyr. Does gan y biwrocratiaid a'r gwleidyddion hyn ddim syniad o'r sefyllfa real. Maen nhw'n rhoi amaethyddiaeth drwy uffern ac yn dweud y drefn wrthon ni fel petaen nhw'n siarad â phlant bach drwg.

Nid ar gost fechan mae arallgyfeirio heddiw. Cymerwch fusnes fel contractio, fel byddwn ni'n ei wneud. Chewch chi ddim tractor newydd am lawer yn llai na chan mil o bunnau. Ac ar gyfer cywain silwair mae angen dau neu dri ohonyn nhw.

Mae'r peiriant y tu ôl iddo fe yn werth tua £30,000. Peiriant chwalu gwair wedyn a thractor i'w dynnu'n werth tua £90,000. Ar ben hynny rhaid cofio fod yna yrrwr ym mhob tractor. Mae'r gost yn aruthrol. Tractor arall wedyn yn hel y gwair yn gribiniau. Mae hwnnw'n werth rhywbeth tebyg. Tractor a byrnwr, a thalu rhywun am gario'r byrnau. Stacio wedyn. Fe ellwch chi ddweud fod i'r gwaith saith cymal, a phob un yn costio'n fawr.

Uchafbwynt y flwyddyn i fi o hyd fydd y Sioe Genedlaethol. Bydd hynny'n golygu wythnos o waith, wythnos o gyflwyno'n fyw o Lanelwedd. Wythnos o fwynhad pur. Yn wir, fe af mor bell â dweud mai'r Sioe yw bywyd i fi bellach. Nid mater o wythnos fer yw hi. Mae'n cymryd misoedd o baratoi. Ac mae hi'n agos iawn at fy nghalon i. Fe alla i dystio, â'm llaw ar y 'nghalon, fod Sioe Frenhinol Cymru yn berchen ar y staff mwyaf galluog y gwn i amdanynt, yn brif weithredwr, cadeiryddion y gwahanol adrannau – pawb ar bob lefel. Mae'n bleser cael mynychu'r cyfarfodydd. Fe fydd yna gytuno y rhan fwyaf o'r amser ac os *bydd* yna anghytuno, yna fe fydd achos dros anghytuno. Nid rhyw dynnu'n groes er mwyn tynnu sylw. Os bydd dadl, fe fydd hi bob amser yn ddadl adeiladol.

Mae Cymdeithas y Sioe yn hollbwysig i'r bywyd gwledig. Mae'r Sioe'n cael ei darlledu ers blynyddoedd ond bellach, diolch i deledu lloeren, mae hi'n mynd allan ledled y byd. Yn wir, mae yna bobol sy'n cenfigenni'n eithriadol at y ffaith fod ganddon ni yng Nghymru gymaint o raglenni sy'n ymwneud â'r bywyd gwledig ac amaethyddol.

Dwi ddim wedi bod yn aelod o lawer o wahanol fudiadau, ar wahân i fudiad y Ffermwyr Ifanc. Ond yn ddiweddar fe wnes i ymuno â Changen Cors Caron o'r Hoelion Wyth a dwi wrth fy modd. Mudiad sy'n ymwneud â'r Pethe yw'r Hoelion Wyth gyda hanner dwsin o ganghennau yn y gorllewin, o ardal Cors Caron lawr i'r Preselau. Ar nos Wener olaf pob mis fe fydd yna siaradwr yn dod i'n diddanu ni, a'r rheiny'n bobol ddiddorol. Maen nhw'n rhoi sylw i faterion gwledig, yn feddygon, yn sylwebyddion, pysgotwyr – pobol o bob maes sy'n chwarae eu rhan yng nghefn gwlad.

Erbyn hyn, un o'm diddordebau pennaf i yw rhedeg cŵn defaid ac rwy'n gobeithio gwneud mwy o hynny yn y dyfodol. Rwy'n cofio'r ci cyntaf ges i, presant gan ewyrth. Fe gostiodd y ci bumpunt iddo fe. Ro'n i newydd ddod adre o Ysgol Llangwrddon ac wrthi'n cael te, ac fe deimlais i rywbeth yn rhedeg o gwmpas fy nghoesau dan y bwrdd. Bryd hynny fydde neb yn caniatáu i gi defaid fod yn y tŷ. Mas oedd cŵn i fod. A dyma ddeall mai presant pen-blwydd oedd hwn.

Fe wnes i hyfforddi'r ci gyda chymorth Ewyrth Brynchwith ac eraill. A dyma ddechrau mynd i gystadlu. Wedi i fi gael crap ar bethe fe ddechreuais fynd i gystadlu'n rheolaidd. Rwy'n cofio un tro lawr yn y Gwenlli. Roedd yna sports yr un diwrnod. Dyma'r cyhoeddwr yn galw fy enw i gan fy nisgrifio fel 'Dai Jones, Siôn a Siân'. Wel dyna i chi le! Fe heidiodd pawb o'r sports i 'ngwylio i a'r ci'n mynd drwy'n pethe.

Moss oedd y ci, a fues i ddim yn fwy nerfus erioed. Dyma'i yrru fe i'r dde gydag 'Awê!'. Ond fe aeth y ci'r ffordd arall a neidio'n syth drwy ffenest agored car y beirniad. Roedd y beirniad a'i glerc yn eistedd yn y car ac fe laniodd Moss ar eu pennau. Y cyfan welwn i oedd papurau'n chwyrlïo o gwmpas y car fel cawod eira. Ond gwella wnaeth pethe ac fe enillais fy lle ar gyfer y treialon rhyngwladol cyntaf, allan yn Iwerddon. A'r uchelgais o hyd fydde cael bod yn gapten Cymru rhyw ddiwrnod.

Ar hyn o bryd mae gen i ddau gi digon addawol. Fe arferai'r treialon gychwyn bob blwyddyn adeg y Pasg. Fe fydde un ym Modfari bob dydd Gwener y Groglith a dydd Sadwrn y Pasg. Rwy'n cofio cystadleuwyr yn dod lawr yno o Cumbria, o Ardal y Llynnoedd. Cofiwch, oherwydd ffyrdd gwell fe fydde'r rheiny'n cyrraedd yn gynt na fi, a finne ddim ond yn gyrru o Lanilar. Fe fydde'r digwyddiad hwn yn gyfle i ni weld porfa am y tro cyntaf yn y flwyddyn. Lawr y ffordd hyn fydde yna ddim porfa gwerth sôn amdano. Ond am Ddyffryn Clwyd, roedd yna fwy o borfa nag a welwn i ym mis Gorffennaf. Weithiau fe wnawn i aros yno dros nos er mwyn cael mwynhau'r ddau ddiwrnod.

Yn ffodus iawn i rywun fel fi, mae'r byd amaeth a byd y cyfryngau mor debyg i'w gilydd. Yn y ddau rwy'n medru gwneud defnydd o elfennau sy'n ymwneud â chefn gwlad. Ac erbyn hyn, gydag Olwen yn gwneud llawer iawn o'r gyrru, yn arbennig pan ddaw hi'n fater o rifyrso, fe ga i gyfle ac amser i edrych o gwmpas. Mae pob ffermwr â diddordeb yn y caeau o gwmpas ac yn medru gwerthfawrogi dulliau pobol eraill o ffermio, a chyfle hefyd i edrych ar stoc y gwahanol ffermydd a gwerthfawrogi hwsmonaeth dda.

Ac o sôn am Olwen, fe ddylwn i dalu teyrnged iddi. Mae hi wedi bod yn fwy na gwraig. Fe fuodd hi'n gefn i fi drwy'r cyfan. Tair ar hugain oed oeddwn i'n priodi, ac Olwen yn iau fyth. Cwrdd â hi wnes i mewn cystadleuaeth barnu gwartheg yn Nhrawscoed gyda'r Ffermwyr Ifanc. Fe fu Olwen yn ganllaw i fi'n gynnar mewn bywyd. Hi oedd, a hi yw, fy ffon. Ro'n i oddi cartref gymaint, ond fe fedrai hi gymryd at y dyletswyddau, nôl y gwartheg i'r parlwr a'u godro nhw; mynd i'r sied wyna a thynnu oen. A phetai rhywun arbennig yn galw fe fydde Olwen yno i fynd â nhw i'r tŷ a pharatoi paned neu hyd yn oed bryd o fwyd iddyn nhw. Roedd Olwen a finne'n dathlu ein Priodas Aur yn ddiweddar. Chawsom ni ddim dathliad mawr. Cinio i'r teulu agosaf yn unig.

Fe wnaethon ni briodi ar 22 Hydref, 1966, trannoeth i gyflafan fawr Aber-fan. Fe aethon ni ar ein mis mêl mewn car Austin 1100, gadael wedi'r wledd briodas yng ngwesty'r Marine, Aberystwyth ac i mewn i'r car ar y prom heb unrhyw gynlluniau ble i fynd. Ie, taith ddirgel fydde ein mis mêl, dirgel hyd yn oed i ni'n dau. A dyna ddechrau trafod. Oedden ni am fynd tua'r gogledd neu i lawr i'r de? Y gogledd wnaeth ennill, a fyny â ni mor bell â Lockerbie yn yr Alban. Ar ôl mwynhau'r Alban roedd angen troi'n ôl am Lunden er mwyn mynd i'r Sioe Laeth yno. Ond dyma neges ffôn yn cyrraedd gyda'r newydd fod buwch wedi trigo. Roedd hi wedi chwyddo ar ôl bwyta rêp. Rwy'n cofio o hyd mai Duchess oedd enw'r hen fuwch – finne wedyn yn gorfod gyrru'r *duchess* arall adre cyn pryd.

Fe fuodd Olwen a fi'n caru am sbel cyn i ni benderfynu priodi. Fel pob pâr ifanc yn y cyfnod fe fydden ni'n awyddus i guddio'r ffaith ein bod ni'n canlyn. Heddiw mae hi'n wahanol. Fe fydd crwt yn cwrdd â merch ifanc yn y dre nos Sadwrn ac ar y bore dydd Llun fe fydd hi adre gydag e'n cael te. Rwy'n hen ffasiwn yn hynna o beth. Mae angen blwyddyn dda rhwng cyfarfod a chyflwyno'r cariad i'r teulu. Roedd yna hen arferiad bryd hynny, petai bachgen a merch yn cael eu gweld yn cerdded gyda'i gilydd i ddrama, cyngerdd neu eisteddfod yn y neuadd leol yna bydde'r gynulleidfa'n clapo'u dwylo a gweiddi. Ew, dyna i chi embaras! Caru yn y dirgel wnâi parau ifanc felly am sbel nes i'r garwriaeth gael ei derbyn yn agored.

Roedd yna elfen o barch hefyd, mae'n rhaid gen

i, mewn cadw'r berthynas yn dawel am sbel. Rwy'n gredwr cryf mewn parch o'r fath. Mae angen parch wedyn rhwng rhiant a phlentyn. Am John, ei dad-cu wnaeth fagu llawer arno. Roedd hwnnw'n byw gerllaw ac ef oedd arwr John. Ac fel 'Dai' mae John wedi fy nghyfarch i erioed ers iddo fe ddysgu siarad. Ry'n ni ar delerau 'ti' a tithe'. Mae rhyw gynhesrwydd yn hynny o beth.

Mae parch yr ifanc at yr hŷn yn hollbwysig. Rwy wedi cyfeirio droeon at y breintiau a ddaeth i'm rhan. Braint fu cael fy magu yn Llangwyryfon yng nghanol cymeriadau, a'r rheiny'n gymeriadau fyddwn i'n eu parchu. Dyna i chi Fois y Felin, Joe a Styfin. Cnowyr baco Ringers a phoerwyr. Y poerwyr mwyaf a anwyd erioed. Petaech chi'n gosod targed ar ben draw'r clos fe hitiai poer brodyr y Felin e bob cynnig. Yn wir, petai poeri'n gamp Olympaidd fe fydde Joe a Styfin wedi dod â medalau aur adre i Langwrddon.

Dyna i chi Wil Woodward wedyn. Ei siop oedd senedd bro. Wil â ffag Craven 'A' dragwyddol yn hongian o'i wefusau a finne'n blentyn yn eistedd ar focs afalau yn gwrando'n fud ar y sgwrsio rhwng Wil ac Ifan Williams, Rhandir Uchaf, Dewi Jones, Ffynnon-wen, Dafydd Thomas, Y Felin, Tom Davies, Penglanowen, a William Evans, Tanglogau. Y rhain oedd gwŷr doeth y fro. Ned y Llain wedyn – tynnwr coes a fydde wrth ei fodd yn sgwrsio â ni'r plant. Gallwn fynd ymlaen ac ymlaen. Dic y Gof, postman; Edwin James, saer; Lisi Pengelli a'i brawd, Owen, wedyn yn cadw defaid Speckleface. A Mari Langors, a fydde'n clicio'i thafod gan swnio fel ffens letric. Mae yna lwyth brodorol yng Nghanolbarth Affrica sy'n siarad drwy glicio'u tafodau. Fe allai Mari Langors fod wedi cynnal sgwrs â nhw.

Gallwn, fe allwn fynd ymlaen ac ymlaen. Mae eu hanesion yn llawnach yn y gyfrol gyntaf. Wrth feddwl amdanyn nhw fe fydda i'n teimlo fel Waldo yn ei gerdd fawr:

Mynych ym mrig yr hwyr, a mi yn unig,
    Daw hiraeth am eich nabod chwi bob un...

Neu yn fy achos i, eu hailnabod nhw. Fel ddwedais i'n gynharach, dyw'r cymeriadau ddim yn bod bellach, pobol fel cymeriadau Llangwrddon gynt. Na phobol *Cefn Gwlad* fel Joni Moch, Don Garreg Ddu a Meri Pantafon. Pan fydde Don Garreg Ddu'n ysgwyd llaw â chi fe fydde bochau'ch tin chi'n crynu am oriau wedyn. Dyn annwyl. Petai'r Brenin Mawr angen trydydd disgybl ar ddeg fe wnawn i gynnig Don fel enw posib iddo fe ar gyfer y rhestr fer.

Fe fydda i'n meddwl yn aml pa mor ffodus ydw i wedi bod o gael adnabod y fath bobol. Fe fydda i'n holi fy hun hefyd pam fod gen i gymaint o gariad at gefn gwlad? Ydy e tybed â rhywbeth i'w wneud â'r ffaith fod 'Nhad wedi gorfod gadael y wlad i ennill ei fywoliaeth yn Llunden a mod inne, yn fy isymwybod, wedi penderfynu cymryd ei le? Byw, ar ei ran, y bywyd a gollodd e? O'r diwrnod cyntaf pan ddes i lawr i Langwrddon ar wyliau, yn dair oed, fe wyddwn mai yma fyddwn i. Yma roeddwn i i fod. Ac fe wyddwn mai yma fyddwn i. Ydy, mae byw yng nghefn gwlad a gweithio yno, boed ar dractor neu o flaen camera, wedi bod yn fraint.

A dyna i chi, yn fras, grynhoad o uchafbwyntiau'r ugain mlynedd diwethaf hyn, dau ddegawd o barhau i gael hwyl mewn tri maes – y llwyfan, y sgrin a'r sioe – er i fi bellach roi'r gorau i'r llwyfan o ran canu. Do, fe ddaeth diwedd ar y canu, ond nid dyna ddiwedd y gân. Fe ddaeth gweithgareddau eraill i lenwi'r bwlch. Rhaid cyfaddef fy mod i'n gweld colli'r llwyfan, yr eisteddfod, y cyngerdd a'r noson lawen. Petawn i'n gorfod meddwl am y wefr fwyaf ar lwyfan, fyddwn i ddim yn dewis y canu. Na, arwain noson lawen fydde honno. Does dim byd yn well na chlywed ymateb pobl i ambell stori neu hanesyn. Ac fe ges i'r fraint o glywed hynny; pobl yn chwerthin o waelod eu boliau. Clywed wedyn, ar y ffordd allan, ambell un wedi codi a chofio llinell neu ddwy o'r hyn ro'n i wedi ei ddweud. Plant yn arbennig. Ie, ymateb pobl fu'r wefr fawr, rhywbeth na all unrhyw arian ei brynu.

Na, dwi ddim yn mynd i fod yn brin iawn o bethe i'w gwneud. Rhyw newid mae'r gweithgareddau, nid diflannu neu grebachu. Pan ddaeth cais am gyfrol oddi wrth wasg y Lolfa, fe wnes i bron iawn â gwrthod. Teimlwn fy mod wedi dweud y cyfan yn *Fi Dai Sy' 'Ma*. Lyn Ebenezer, y gŵr sydd wedi bod yn gyfrifol am gofnodi fy hanesion o'r blaen, wnaeth fy atgoffa bod ugain mlynedd wedi mynd heibio ers hynny. Ac mae ugain mlynedd yn amser hir, tua chwarter hyd oes rhywun cyffredin. Felly, oes, mae gen i rywbeth i'w ddweud, rhyw estyniad i'r hanes, a chyfle hefyd i gymryd trem yn ôl a llenwi ambell fwlch.

Ydw, rwy wedi mwynhau bron bob eiliad o 'mywyd. Ond ffermwr ydw i ac mae gen i ychydig mwy o amser y dyddiau hyn i fwynhau'r pethe sy'n agos at fy nghalon. Ond dyw perfformio ar lwyfan neu ar sgrin yng nghwmni, neu o flaen cymeriadau, yn ddim ond estyniad o'r hyn a wnawn i pan oeddwn i'n blentyn.

Pobol sydd wedi bod yn bwysig i fi erioed. Yn ddaearyddol, fe grwydrais ymhell o siop Wil Woodward. Ond yn ysbrydol, wnes i erioed adael y fro. Ble bynnag y bues i, ac i ble bynnag yr af, yn ôl wna i ddod. Chwedl Dafydd Iwan, 'Yma mae nghalon, yma mae nghân'.

Fe gawsoch chi hanes hanner canrif cyntaf fy mywyd ugain mlynedd yn ôl yn *Fi Dai Sy' 'Ma*. Ystyriwch y gyfrol hon felly, *Tra bo Dai*, yn fonws, yn encôr geiriol ac yn gyfle arall i gael dweud 'Diolch'. Ac os ga i fyw am ugain mlynedd arall, hwyrach y cewch chi gyfrol arall eto fyth. Rwy hyd yn oed nawr yn ceisio meddwl am deitl addas. Erbyn hynny fe fydda i ddwy flynedd dros fy naw deg. Diawch, dyna i chi syniad. Ei galw hi'n *Naw deg Dai*!